죽지 않는 엑스트라

05

토이카 퓨전 판타지 장편소설

intime

차례

Chapter 21. 에반 디 세어든, 전설에 대해 듣다 7

Chapter 22. 에반 디 세어든, 전설과 만나다 71

Chapter 23. 에반 디 세어든, 축제를 즐기지 못하다 149

Chapter 24. 에반 디 세어든, 다시 던전에 들어가다 253

Chapter 21.

에반 디 셰어든, 전설에 대해 듣다

9월, 열두 살의 가을이 찾아왔다. 에반은 모든 계절을 썩 싫어하지 않았지만 그중에서도 가을을 가장 좋아했다.

무더위가 꺾이고 아침저녁으로 선선한 바람이 불어오는 계절. 초목이 붉게 물드는 것만큼이나 빠른 속도로 거리에 들어차는 온갖 포장마차에서 파는 따끈한 먹을거리.

"여름의 포장마차도 제법이지만 역시 가을밤, 목욕탕 물에 들어갔다 나와서 시원한 바람을 맞으며 먹는 튀김 꼬치를 이길 수는 없는 노릇이지."

"나머진 동의합니다만…… 도련님, 저는 구운 과일빵이 조금 더 우세하다고 봅니다. 식사 시간도 한참 지났는데 야밤에 고기 튀김이 말이나 됩니까? 달달한 잼이 흘러나오는 뜨끈하고 달콤한 빵! 후식 메뉴로 얼마나 적합합니까? 거기에 우유가 더해지면 금상첨화죠."

"하, 이래서 진정한 어른의 맛을 모르는 초코우유파 놈들은
안 된다니까."

"쯧, 역시 우유에서 나이를 찾는 커피우유파와는 말이 통하
지가 않네요."

에반과 샤인, 두 바보가 치열한 논쟁을 벌이는 사이에서 벨
루아와 아리샤는 조용히 흰 우유만 마시고 있었다. 기름진 것
이든 단 것이든 야식은 미용의 적이었기 때문이다.

"그런데 거리가 조금 시끄럽지 않습니까? 뭐 하나?"

던전도시에 넘쳐나는 기이한 활기야 어린 시절부터 살아왔기
에 익숙했던 샤인이었으나, 오늘은 유독 그 정도가 심하다는 느
낌이 들었다. 사람들도 유독 많고, 이상하게 부산스러웠다.

"바보 샤인."
"뭐야, 갑자기 왜?"
"……너 진짜 몰랐어?"
"도련님까지 그런 눈으로 보실 겁니까?"

그래서 한마디 해봤을 뿐인데 돌아오는 일행의 반응이 격
렬했다. 아리샤? 아리샤는 흰 우유를 마시고 있었다.

"뭔가 있었습니까? 저는 요즘 애들 가르치는 데에만 집중해 가지고……."

"올 가을에 던전축제가 열리잖아."

"아…… 어어? 그게 뭡니까?"

에반의 말에도 샤인은 그저 고개를 갸웃할 뿐이었다. 이렇게 되면 정말로 모르는 것이다.

하지만 그래…… 샤인이라면 모르고 있어도 이상하지 않지. 에반은 홀로 납득해 고개를 끄덕이곤 입을 열었다.

"원래 던전도시에서는 3년을 주기로 축제를 열어. 원래는 던전도시가 몬스터들의 위협에 무너지지 않았음에 신께 감사를 드리면서, 던전에 들어가는 모든 사람들이 안전하게 보살펴달라며 기도를 올리는 의식이었는데 그게 축제로 발전된 거지."

"그, 그렇습니까? 그런데 어릴 때면 몰라도 3년 전에 축제가 있었다면 제가 아무리 바보라도 그걸…… 아."

에반의 말에 고개를 갸웃하던 샤인은 곧 자신도 납득하여 천천히 고개를 끄덕였다.

확실히 3년 전에도 축제가 열렸다면 그가 기억하지 못했을 리 없으나, 그때는 실로 수십 년 만에 끔찍한 규모의 던전역류가 발발한 때였다. 그의 낯빛이 순식간에 딱딱하게 굳었다.

"축제를…… 할 정신이 없었겠지요."

"응. 신을 원망이나 하지 않으면 다행이었지. ……하지만 다행히도 그로부터 3년간은 별문제가 없었어. 이번 던전역류도 정말 깜짝 놀랄 만큼 무탈하게 넘겼고. 그래서 다시 축제가 열리게 된 거야."

결과적으로는 무려 6년 만에 축제가 열리게 되어, 지금 던전도시는 모두가 한마음으로 축제를 기다리며 준비할 때 특유의 '기묘하게 들떠 안절부절못하는' 분위기로 잠식되어 있었다.

"그건…… 확실히 좋은 일입니다만, 어째 조금 그렇네요. 마치 3년 전의 대역류를 누구나가 잊기라도 한 것처럼 다시 축제가 열린다니."

"응. 하지만 앞으로 나아가기 위해선 잊는 게 좋은 일도 있으니까."

"잊는 게, 좋은 일……."

샤인이 믿을 수 없는 말을 들은 것처럼 멍청하게 중얼거렸다. 그에 에반은 단호히 고개를 저으며 덧붙여 말했다.

"네가 과거를 잊어야 한다는 얘기는 아녔어, 샤인. 단지 내 말은, 그렇게 해서 다시 나아갈 힘을 얻는 인간들도 있다는 얘기야."

"물론 알고 있습니다. ……누가 뭐라 말하든 제가 그날을 잊을 수 있을 리도 없고요."

샤인은 여전히 딱딱한 얼굴로 잘근잘근 씹어뱉듯이 말하곤 과일빵을 입안에 전부 던져 넣었다. 그리곤 뜨거워 흐허, 흐허 소리를 내며 우유를 다급히 마셨다. 벨루아가 재차 바보라며 그를 매도했다.

아리샤? 아리샤는 흰 우유를 마시고 있었다. 에반은 초지일관 샤인에게 무관심한 아리샤의 모습에 쓴웃음을 지으며 샤인에게 말했다.

"축제의 취지나 개인적인 감정은 내려놓고, 난 이번 축제는 가스를 뺄 좋은 기회라고 생각해."

"가스?"

"그래. 네 말마따나 요즘 너무 애들이랑 같이 빡세게 수련만 하고 있잖아. 축제 기간 정도는 다 같이 놀자. 모처럼 호위 기사 없이 다닐 수 있게 되기도 했으니."

"큼…… 그럴까요. 하긴, 거의 반년 이상 굴리기만 했으니 아이들도 휴식이 필요하겠죠."

그들이 호위기사 없이 다닐 수 있게 된 이유는 간단하다. 던전 5층을 클리어하고 나온 샤인과 벨루아가 이미 어지간한 호위기사보다 강해져 있었기 때문이다. 에반의 호위를 맡을 수 있을 정도로.

본래 에반의 호위기사였던 다인은 자신의 역할이 줄어들었다며 무척 섭섭해했지만, 에반은 내심 처음 자신이 그렸던 구도가 완성되었다고 생각해 무척 기뻐했다.

물론 샤인과 벨루아는 자신들이 에반에 비해 한참 부족하다는 것을 알고 있었기에 어떻게든 더 강해지려 근 반년간 발악적으로 수련했지만, 그런 그들의 속내까지는 에반이 알지 못했다.

그저 던전에서 강해졌음에도 여전히 필사적으로 노력하는구나, 하는 생각에 감동했을 뿐!

"그래서 축제 기간이 얼마나 되는 겁니까, 도련님?"

"10월 첫째 주 화요일부터 토요일까지 5일간."

"닷새!? 엄청 기네요."

"원래는 사흘이었는데 이틀 추가된 거야. 저번 축제가 취소되었던 것도 있고, 또…… 알잖아?"

"아, 아아아. 그거군요."

사실 이번 축제가 더 달아오르는 이유가 있었으니, 몇 년간 답보 상태였던 던전 공략에 진전이 있었던 것이다.

에반의 던전행을 보고 자극을 받았는지, 그게 아니면 형제약국과 형제목욕탕 덕에 여력이 늘어났는지.

유력 전투 길드의 수뇌가 협의를 거쳐 각 길드에서 가장 강한 전투원들을 골라 여덟 명의 드림팀을 결성, 기어이 45층의 보스 썬더 라이칸스로프를 뚫고 46레벨로 성장하는 쾌거를 올렸다.

그 덕에 던전도시가 전체적으로 들뜬 상황이었다.

"공략 멤버들이 각 길드로 돌아가 이번엔 길드 단위로 다시 45층을 공략하기 위해 준비를 하고 있으니, 아마 축제가 시작되기 전에는 45층이 완전히 돌파되지 않을까 싶네."

이번 드림팀의 구성 멤버를 보유하고 있는 최선두 전투 길드 낙원유랑, 천둥새, 피닉스, 히트실드, 에버그린에 그라칸, 메가마인……. 그 외에 그들에게 자극을 받은 다른 대규모 길드에서도 45층을 정복하기 위해 열을 올리고 있었다.

던전도시의 전투 길드들이 몇 년간의 부진, 답보를 깨고 나아가기 시작했다. 에반이 주도한 변화라고 단언할 수 없을지는 몰라도, 그가 거기에 작게나마 영향을 주었다는 것은 누구도 부정하지 못할 터였다.

"여러모로 들뜨는 일이 겹쳤다, 이거죠."

"거기에 셰어든의 후계자인 형의 생일도 10월에 있고. 저번에 형이 던전에 들어갔다 나온 게 알음알음 알려졌으니 이번 축제 때 형과 관련해서도 뭔가 이벤트가 열릴 가능성이 높아."

에반의 형이며 올해로 열다섯이 된 세어든 대공자 에릭 디 셰어든은 이번에 무사히 던전을 10층까지 클리어하고 돌아왔다.

맛보기의 의미가 강한 5층까지와는 달리 —물론 에반 파티가 다녀온 던전은 다른 이들이 생각하는 5층과는 많이 달랐지만— 던전의 6층부터는 함정과 몬스터의 위험도가 족히 두 배 이상으로 오른다.

'아무리 형이 대단해도 거기까지는 기대 안 했는데, 설마 10층 보스를 격파할 줄이야.'

더욱이 10층의 플로어 마스터 배틀 룸에서는 보스 격의 몬스터가 여러 마리 등장하기 때문에 전투에 곤란을 겪는 경우가 부지기수.

실제로 지금까지도 전체 탐험가의 3분지 1은 10층을 넘지 못하고 주저앉아있는 실정이었다.

그러니 10층을 클리어하고 돌아왔다는 것은 여러모로 정식 탐험가의 자격이 있음을 증명한 셈이었다.

'아무리 기사들과 함께했다고는 해도 제대로 공헌을 하지 않으면 던전을 돌파해 레벨을 올릴 수는 없거든. 그런데 형이 정말로 열다섯 살 나이에 10층까지 돌파해버렸으니 다들 놀라지 않는 게 이상하지.'

그의 이번 활약으로 셰어든 가문에는 에반 디 셰어든만 있는 게 아니라는 사실을 확실히 증명한 셈이다. 일부러 과장되게 알리고 다니지 않은 만큼 뒤에 찾아온 은은한 충격이 더 컸다.

그리고 거기에 대한 공식적인 반응을 이번 축제 때 확인하게 되었으니 에반 입장에선 이번 축제가 기대되지 않을 수 없었다.

'그런 김에 아버님께서 내 다음 던전행도 허락해주셨으면 좋겠는데, 너무 질색을 하신다니까. 아무래도 이번 축제 때 형한테 질투가 난다는 식으로 가장해 졸라서…… 아니, 이제 이건 안 속으실 것 같은데.'

에반은 어떻게 하면 후작으로부터 허락을 이끌어낼 수 있을까 고뇌했다. 버나드와 기사단장에게 말해서 도움을 받을까. 그래, 그게 가장 좋을 것 같았다.

'여유롭게 달성할 능력이 있는데도 하지 않는다는 것은 죄악이니까.'

지금 에반의 최소한의 목표는 자신이 성인이 되어 던전 기사단을 창설하기 전에 드림팀을 이끌고 지금의 최상위 전투 길드들이 도달한 던전 최고 계층을 돌파하는 것이었다.

그래야만 던전 기사단이 이 도시에서 다른 길드들에 비해 압도적인 우위를 점할 수 있으며, 불순분자가 많은 불량 길드들을 관리하기에도 수월할 테니까.

그의 이런 생각을 남들이 들으면 경악을 하겠지만, 사실 그에게는 너무나 당연한 일이었다.

'그래 봤자 45층이잖아.'

솔직히 45층이 어렵네, 50층을 꿈꾸네, 탐험가들이 끙끙대는 모습이 보여도, 요마대전 시리즈를 수십, 수백 번이고 클리어한 독극물 에반 입장에서 보면 코웃음이 나올 뿐이었다.

그도 그럴 것이 그는 전생에서도 50층 정도는 눈 감고도 클리어할 수 있었으니까! 심지어 적성도 없는 마법사로 전직한 에반을 데리고 50층도 아닌 60층까지 노다이 노세이브 클리어를 기록한 적까지 있는 것이다!

'그런데 이젠 게임이 아닌 현실이라 공략이 더 쉬워지기까지 했어. 연금술의 적용 범위도 내 상상 이상으로 넓고.'

이 상황에서 일단 연금술사로서 구색은 하고 있는 자신이 샤인, 벨루아, 라이한이라는 드림팀 멤버들까지 이끌고 50층을 돌파하지 못한다면 그건 나가 죽어야 한다. 그쯤 되면 더이상 사망 신호의 문제가 아닌 것이다.

"샤인, 그런데 애들은 어떨까? 던전에 데리고 갈 수준까지 키우려면."

그런 에반의 생각은 개인에게서 금방 단체로 뻗어 나갔다. 아직 던전 기사단을 정식 발족하지도 않았는데 마음만은 베테랑 기사단장이었다. 샤인 역시 기다리고 있었다는 듯 바로 답했다.

"사망을 아예 걱정하지 않는 수준까지라면, 전 앞으로 반년 정도 봅니다."

"폴도 그 정도면 실전에 나갈 수 있게 될 것 같습니다, 도련님."

"반년…… 여태까지 하인의 기술을 숙달했다지만, 그래도 교육에 1년밖에 안 걸리는 건 대단한데."

샤인은 에반의 생각보다 더욱 남을 가르치는 데에 소질이 있었고, 신인족 아이들은 평범한 아이와는 다른 독기로 그의 신인단련법 수업을 따라왔다.

사망을 걱정하지 않고 던전에 들어간다는 것, 그 조건은 성인들에게 있어서도 결코 보통 일이 아니었다. 그런데 그것을 단 1년 만에 이룰 수 있다니!

"마법사 소질이 있는 애가 아직은 폴뿐이었지?"

"예. 곧잘 배우고 있습니다."

한편 무기술에는 영 적성이 없는 폴은 그것을 대신하듯 마도의 재능을 갖추고 있었는데, 벨루아가 짬을 내어 가르쳐주는 것만으로도 쑥쑥 발전하고 있었다.
그게 가능해진 것도 모두 샤인의 신인단련법이 아이들의 뒤틀린 육신을 바로잡아주는 과정에서 마나를 다루는 능력까지도 어느 정도 회복시켜주기 때문이었다.

"그 아이, 나도 가르치고 있어. 마력은 적지만 다행히 마도의 센스가 있어."

어느덧 흰 우유를 다 마신 아리샤가 벨루아의 말에 덧붙여 말하며 에반을 빤히 바라보았다.
벨루아가 마녀의 길을 걷는다면, 아리샤는 마도의 발상지 마나로드의 던전도시에서 가장 정석적인 마도의 길을 밟아온 이.
에반과 동갑의 나이지만 그녀의 마도는 결코 녹록지 않았다. 남을 가르칠 정도가 된다는 얘기다.

"알고 있어. 네 덕에 폴도 한 방향으로 치우치지 않고 고르게 성장하고 있는 거겠지. 고마워."
"같은 단원이니까."

"예비 단원 후보 말이지."

"그게 그거."

그 말에 에반이 부담스러워하는 것을 본 벨루아가 뭐라 간섭을 해오기도 전에 그녀가 말을 빠르게 이었다.

"이번엔 나도 아이들과 함께 던전에 들어갈 거야. 단원이니까."

"펠라티 백작님 허락이나 맡아서⋯⋯."

"이미 받았어. 에반의 뜻에 따르겠다고."

"내 뜻이 아니라 네 뜻이겠지!?"

"기사단장의 뜻이 가장 중요하니까."

어떻게든 던전 기사단에 정식으로 입단해 보이고 말겠다는 강렬한 의지가 느껴지는 아리샤의 말에 에반은 이내 한숨을 내쉬고 말았다.

개인적인 성장과 발전도 만족스럽고, 라이한은 끝을 모르고 성장하고 있으며, 샤인과 벨루아를 포함한 신인족들의 육성도 완벽했지만 여태까지 유일하게 그의 계획에서 엇나간 이가 있으니 바로 아리샤다.

'이 녀석 결국 순조롭게 우리 도시에 녹아들어버렸어⋯⋯. 본편처럼, 본편에서 그랬던 것처럼!'

던전 기사단은 신인족들과 에반, 라이한만으로도 완벽할 텐데 어째서 아리샤가. 아니, 물론 그녀도 훌륭한 마법사지만! 레귤러 중에 레귤러, 메인 히로인이지만!

'메인 히로인이니까 문제가 되는 건데!'

주인공과 정면에서 엮이는 요소는 최대한 만들고 싶지 않은 에반 입장에서는 그저 심란한 일이 아닐 수 없다.

그는 어떻게든 자신을 향한 관심을 표현하는 아리샤에게서 자신에게의 관심도를 깎아내기 위한 말을 하기 위해 단어를 고르다가…… 저 너머 한적한 도로변에 홀로 서 있는 버나드 가르시아를 발견했다.

"어, 할아버지?"
"……크엑."

버나드가 괴상한 목소리를 내며 한 손을 뒤로 숨겼다. 그러나 존재레벨의 괴물 에반은 단숨에 그가 숨긴 것의 정체를 깨달았다.

그것은 편지였다.

"아니, 우리 버나드 할아버지가……."

에반은 능글맞은 미소를 지으며 버나드의 허리를 쿡쿡 찔렀다.

"누구랑 연애편지를 주고받고 계신 거예요?"
"연애편지 아니다, 이놈아."
"에이, 편지 봉투 봉인이 하트 문양인 거 제가 다 봤거든요. 어디서 시치미를 떼고 그러세요."
"잘못 본 거다."

버나드는 한사코 혐의를 부정했다. 그런 모습을 보면 더더욱 수상해지는 것이 사람 심리였지만⋯⋯ 이쯤에서 에반은 문득 한 가지 떠오른 생각이 있었다.

"어라, 할아버지. 그거 혹시 멀리서 온 편지에요?"
"편지가 아니라니까. 다음 수업 내용을 적어놓은 용지다, 용지."
"헐, 정말로 편지가 멀리서 왔다는 건 혹시가 아니라 역시⋯⋯!"
"아니⋯⋯ 이놈아, 사람 말을 좀 들어라."

에반의 상상력이 끝내 도달한 곳은, 물론 요마대전 2에서 버나드 가르시아와 함께했던, 한 명 한 명이 전설이라 부를 수 있는 용사의 동료들! 멀리서 버나드에게 연락을 해올 정도면 그 정도는 되어야 하지 않겠는가!

그렇다면 누구일까? 여기서 에반의 생각은 멈추었다. 요마대전 2에서 주인공의 동료로 영입할 수 있는 이는 버나드를 포함해 무려 스무 명 가까이 되었던 것이다.

그 안에서 최종적으로는 일곱 명을 추려 최종전 파티를 결성할 수 있었는데, 게임에서야 파티에서 헤어지게 된 동료와 작별하고 그냥 끝이지만 현실이 어디 그렇겠는가? 그들과 여전히 연락이 닿아도 이상할 것이 없다.

'더욱더 중요한 건 레오 아르페타가 게임 내에서는 레귤러가 아니었던 이를 동료로 맞이했을 가능성도 있다는 거야.'

이 세상은 결코 요마대전 속 세상과 같지 않다는 것을 이미 에반도 잘 알고 있지 않던가.

영웅 레오 아르페타와 그 친우 버나드 가르시아는 그대로 존재하지만, 그들이 실제로 겪은 일들은 게임과는 다소 다르다는 것을 그도 지금은 이해하고 있었다.

그래서 결론은 뭐냐면, 도저히 모르겠다.

"누구한테서 온 건지 안 가르쳐줄 거죠."

"안 가르쳐준다, 이놈아."

"역시 편지였구나."

"……."

"아야야야야."

버나드가 가차 없이 에반의 뺨을 꼬집었다. 사실 얼마든지 피할 자신이 있었지만 이런 걸 일일이 피하다간 버나드가 대책 없이 삐진다는 것을 잘 알고 있었던 에반은 그냥 얌전하게 당해주기로 했다.

"내일 수업은 각오해라, 아주."
"전 그냥 할아버지 연애사업을 돕는 겸 할아버지 옛날얘기도 듣고 싶었을 뿐인데…… 아냐, 제가 잘못했어요."

버나드는 그 말에 기가 막혀 에반에게 되물었다.

"네놈은 대체 내 뭘 안다고 내 과거를 그렇게 듣고 싶어 하는 게냐?"
"에이, 한 가닥 했을 게 분명하니까 그런 거죠."
"허, 혀에는 아주 기름칠을 했구나. 됐다, 이놈아. 내일 보자."

버나드는 끝내 피식 웃어버리곤 에반의 머리를 까치집처럼 헤집어놓고 떠나갔다.
버나드와 에반의 관계에 익숙한 샤인과 벨루아는 버나드가 가고 나서야 에반에게로 다가와 흐트러진 그의 차림새를 다듬어주었지만, 버나드와 제대로 만나보는 것은 처음이었던 아리샤는 떠나가는 할아버지의 뒷모습을 보며 두 눈을 반짝이고 있었다.

 "귀족?"
 "아냐. 귀족이었던 적이 있었을지도 모르지만 적어도 지금은 아니셔."
 "은둔 고수."
 "비슷한 느낌."
 "그런데 에반은 어떻게 알았어?"
 "운이 좋았어."
 "……재밌어."
 "젠장!"

 또 재밌다는 결론에 이르고 말았잖아! 다행히도 이번엔 관심이 에반이 아닌 버나드 쪽에 쏠려있는 것 같았지만 사실 그쪽도 달가운 일은 아니었다.
 아리샤가 어떻게 반응할지 익히 예상한 에반은 썩은 표정을 지으며 말했다.

 "너 나한테 억지 부리듯이 버나드 할아버지한테 그랬다간 진짜 큰일 나니까 하지 마라. 할아버지는 이 도시에서는 언터처블, 절대로 건드려선 안 되는 분이야."
 "맞습니다, 아가씨. 버나드 님은 과거 전염병으로부터 이 도시의 모든 생명을 살린 주역이거든요. 가벼운 마음으로 접근하셨다간…… 도시 전체를 적으로 돌리게 되실지도 모릅니다."

에반의 경고가 약하다 여겼는지 샤인 역시 진지한 투로 경고했다. 뜻밖인 것은 아리샤의 반응이었다. 그녀가 걱정 말라는 듯이 고개를 끄덕인 것이다.

"그럴 생각 없어. 저 할아버지는 방금 에반만 허락하고 있었으니까."

사람과 사람 사이에는 늘 거리감이 있다. 처음 만나는 사람에게든, 친한 사람에게든 사람은 일정 거리를 두고 접한다.
그리고 예민한 감각의 소유자인 아리샤는 그 거리감을 잴 줄 알았다. 에반이 자신을 무서워한다는 것을 바로 알았던 것도 그 덕이다.

"에반에게조차 어느 정도 거리를 두고 있는데, 타인이 접근하는 건 결코 용서치 않겠지."
"그래, 알아주니 다행이다. 그러는 김에 나랑도 거리를 둬주지 않을래?"
"그래서 결국 뭐 하던 할아버지?"
"나도 모른다, 이놈아."

에반은 바로 방금 버나드가 썼던 방법으로 아리샤를 물리쳤다. 아리샤는 뚱하니 재미없다는 표정을 지었지만 에반이 알 바 아니었다. 조금은 버나드의 심정을 이해할 것만 같은 밤이었다.

"연애편지라니, 에반 놈…… 말도 안 되는 소리를. 그 녀석이 제대로 알지 못하는 것도 있구나."

에반과 헤어져 자신의 숙소로 돌아온 버나드 가르시아는 아까 만났던 제자가 했던 말을 떠올리며 재차 웃고 말았다.
편지를 보낸 이가 누군지 알면 에반은 그야 물론 경악하겠지만, 연애편지라는 소리는 쏙 들어가게 될 터였다.

"어디…… 일단 램프를 켜고."

그는 털썩 의자에 앉아 후우, 한숨을 내쉬었다. 편지 봉투를 쥐니 떠오르는 것은 과거의 일이다.
언제 어떤 상황에서도 로망을 찾았던 친우와는 달리 그는 당시 지나친 책임감에 짓눌려 있어 도저히 다른 뭔가에 집중할 상황이 되지 않았다.
그 당시 만났던 모든 이와의 관계는 실로 운명적이었고 지극히 극적이었으나, 동시에 결코 사적인 단계로 나아갈 수 없었다.

'좋은 여자는 많았지만…… 아니, 당시에는 그리 생각할 수도 없었는가.'

버나드는 레오를 제외한 그 누구에게도 자신을 허락하지 않았고, 모두가 알 수 있도록 철저하게 벽을 쳤다. 자신의 이름을 감추고, 모습을 감추고, 감정을 감추었다.

지금은 그 당시에 비하면 많이 유해진 것이다. 사실은 엇 하는 사이 에반이 생각보다도 깊숙이 그의 마음 안으로 들어와, 버나드도 가끔씩 놀랄 때가 있었다.

"하물며 젊을 적에도 그러했는데 연애편지라. 생각할수록 웃기는구나. 애초에 그 시절 내 얼굴과 이름을 알고 있는 이가 레오밖에 없는데, 레오 이외의 사람에게서 편지가 올 수가 없는 것을……."

그렇다. 그에게 편지를 보낸 이는 남자, 그것도 수십 년 전 세상에 닥쳐온 크나큰 위기를 막아내고 모습을 감춘 대영웅 레오 아르페타였다. 연애편지가 아니냐고 호들갑을 떨던 에반이 우스울 수밖에 없는 것이다.

버나드는 에반의 모습을 떠올리곤 재차 피식 웃으며, 그의 유일한 친우 레오로부터 실로 오랜만에…… 어느 정도였지?
그래, 마지막으로 왔던 편지가 5년 전이었다. 5년 만에 온 편
지를 뜯었다.

첫 문구는 이러했다.

[너무나 오랜 세월 당신을 그리워했습니다. 당신과 만나고
싶습니다.]

"레오 이 망할 놈이!"

버나드의 전신에 소름이 돋았다. 연애편지 아니냐는 에반
의 목소리가 편지의 첫 문장과 겹쳐 징그러움을 더욱 증폭시
켰다.

물론 상대가 남자라고 연애편지가 아니라는 법은 없으나
버나드와 레오는 둘 다 이성애자였다! ……적어도 헤어지던
그 순간까지는!

그는 대체 이 망할 놈이 무슨 의도로 그 문장을 썼는지 궁
금해서라도 뒷부분을 읽기로 했다.

[놀랐지? 그래도 부디 편지를 불에 태우진 말아줘. 내 잘못
아니다. 저거 일로인이 쓴 거다.]

"음?"

그러고 보면 첫 문장의 필체가 두 번째 문장부터 이어지는

필체와는 달랐다. 그가 기억하는 레오의 필체가 아니었다.

레오가 정말로 공들인 장난을 친 것이 아니라면 진짜 다른 사람이 썼다는 것인데…… 일로인? 버나드도 잘 알고 있던 이였다. 최후까지 함께했던 최강의 동료 중 한 명, 속사의 일로인을 말하는 것이리라.

'그런데 이 여자가 어째서 레오와 함께 있다는 것이지? 분명 이별의 날, 고향으로 돌아간다고 하지 않았던가.'

아니…… 보다 정확히는, 버나드에게 둘이서 같이 모험을 조금 더 해보지 않겠냐고 제안하기는 했었다.

당시 너무나 지쳐있어 이것저것 전부 다 내려놓고 싶었던 버나드는 그녀의 제안을 깔끔하게 거절했고, 그녀는 그것에 납득해 떠나갔다.

그런데 어째서 갑자기 그녀가, 더구나 레오에게 어울려 이런 짓궂은 장난까지 해올 줄이야, 만약 사실이라면 아무래도 버나드가 사람을 잘못 판단했던 모양이다.

그는 인상을 찌푸리며 편지의 나머지 부분을 읽었다.

[일로인과는 어둠의 흔적을 추적하던 도중에 만났다. 그녀 역시 놈들의 움직임을 눈치채고 혼자서 움직이고 있었던 거지. 그래서 합류했고……. 지금은 아리아와 일로인까지 셋이서 돌아다니고 있다.]

"……하, 이놈. 재주가 좋은 건 여전하군."

평생의 반려를 정하고도 수십 년 세월이 지났는데 갑자기 거기에 다시 아름다운 여자가 —당시의 일로인은 무척 아름다운 여성이었다— 추가되다니, 과연 천하의 풍운아 레오 아르페타다운 일이다.

친우의 모습을 떠올린 버나드의 입가에 희미한 미소가 그려졌다.

[야, 일로인은 정말 굉장하다. 뭐가 굉장하냐면 너도 만나보면 알게 될 거다. 그런데 버나드, 네가 어쩌다가 본명을 그렇게 드러내고 도시에 정착을 한 거냐? 더구나 이름까지 제법 알려져 있는 것 같던데, 솔직히 얘기를 처음 들었을 땐 동명이인인 줄 알았다.]

"나도 이렇게 될 줄은 몰랐지……."

버나드는 처음 자신이 도시에 왔던 날을 떠올리며 감회 깊은 표정이 되었다. 그가 산골 마을에서 이름을 드러내고 살던 것은, 그래도 죽을 때까지 가명과 가짜 얼굴로 사는 것은 서글프지 않은가, 하는 생각이 문득 들었기 때문이었다.

활약을 가명으로 했으니 어차피 아무도 자신을 알아보지 못할 것이라 확신해 거리낌 없이 본명과 진짜 얼굴을 드러내고 그렇게 살고 있었는데, 갑자기 에반이 자신을 찾아냈다.

'정말 본인이 모르는 연금술이었을 경우 적어도 저랑 같이 5년은 일을 하시겠다고 약속해주세요.'

그는 정말로 당돌하게, 아무런 설명도 없이 자신을 데려와 대뜸 새로운 포션을 보여주었다. 자신이 막연히 상상만 하던 꿈을 실현시켜 보였다.

정신을 차리고 보니 그는 이미 에반과 함께 있는 힘껏 신나게 활약하고 있었다. 심지어 이젠 엘릭시르까지 같이 탐구하게 되었다.

그래, 그것은 마치…… 꼭 젊은 시절의 레오 아르페타에게 휘말렸을 때와도 비슷했다. 아니, 분야가 다를 뿐 더하다고 봐야겠지. 생각하면 헛웃음이 나온다. 어찌 이렇게 되었는지 모르겠다.

하지만 그 덕에 결국 이 나라에 닥쳐온 재앙을 빠르게 막아낼 수 있었다. 적어도 그것에 후회는 없었다.

"네 녀석과 무척 닮은 놈을 만났다, 레오. 너도 만나게 되면 깜짝 놀랄 거야. 더구나 강한 아이다. 몸은 이미 강한 전사의 반열에 들며, 마음은 그 이상으로 강하지. 마음에 들 거다. 무척, 무척."

버나드는 자신의 입가에 떠오른 미소를 의식하지 못하고 혼잣말을 중얼거렸다. 그러다 아직 편지의 뒷부분이 남아있다는 사실을 깨달았다.

[어쨌든 드디어 네가 한 곳에 정착을 하겠다니, 나도 네 친구 된 입장에서 무척 반갑고 기쁘다. 안 그래도 너와 직접 만나서 의논하고 싶은 일이 있었거든. 제법 심각한 일이다.]
"······잠깐, 뭐?"
[편지가 도착했을 즈음엔 이미 근처일 거다. 곧 도착한다, 버나드. 진짜 중요한 일이니 이번엔 튀지 말고 기다려라. 더구나 일로인이 반드시 네 본모습을 봐야겠다고 이를 갈고 있거든.]
"뭐!?"

버나드는 자리에서 벌떡 일어섰다. 오겠다고!? 레오 아르페타가 이곳에!?
순간적으로 오만 생각이 든 버나드는 본능적으로 자신의 중요한 물건들이 든 주머니를 집어 들고 일어섰으나······ 이내 다시 제자리에 주저앉아버리고 말았다.

'드디어 네가 한 곳에 정착을 하겠다니.'

맙소사, 이럴 수가. ······자신이 사람에 매여 움직이지 못하게 되다니.

"허, 허허."

버나드는 헛웃음을 토해냈다. 레오 아르페타의 판단은 실로 훌륭했다.

그는 이곳에서 움직일 수 없는 신세였으니, 가만히 레오 아르페타가 오기를, 그의 부인인 아리아 아르페타가 오기를, 그리고 한때의 동료였던 일로인이 오기를 기다리는 수밖에 없었다.

……왜냐면, 그는 아까 분명 에반에게 내일 수업은 단단히 각오하고 오라는 말을 해버렸기 때문이다.

아침. 던전 기사단의 예비 멤버들은 후작가 수련장에서 각기 땀을 흘려가며 훈련하고 있었다. 물론 훈련에 있어 가장 기본이 되는 것은 샤인으로부터 멤버 전원에게 숙달시킨 신인 단련법이다.

마법사를 지망하는 폴도 여기엔 빠질 수 없다. 신체를 바로 잡아야 마나 역시 효율적으로 다룰 수 있기에.

"흡, 흐읍……."
"후우우……!"

덤으로 에반과 라이한도 샤인으로부터 이것을 배웠다. 신인족에게 가장 효과가 좋다고는 했지만, 그것을 제외하고 봐도 에반 트레이닝이나 전신의 투지보다는 고위에 속하는 단련법이었기 때문이다.

더욱이 둘 다 신인단련법의 일부에 속하는 기술을 익히고 있어서였는지, 그들은 다른 신인족 아이들에 비해 훨씬 빠르게 단련법을 익힐 수 있었다.

원래 지니고 있던 체력단련법으로부터 신인단련법으로 자연스럽게 진화한 느낌이라고 해야 할까, 그들은 각기 그런 묘한 감각을 느끼고 있었다.

하위 스킬로부터 고위 스킬로 성장하는 것은 게임 내에도 확실한 시스템으로 자리 잡고 있었으니 아마 맞을 터였다.

"후, 잠시 휴식."
"옙."
"부단장님, 대련을 부탁드립니다!"
"아……."

샤인이 휴식시간을 선언하자마자 그 자리에 엎어지는 다른 아이들과는 달리 기운차게 일어서며 샤인에게 덤벼드는 아이가 있었으니 바로 마리였다.

그녀는 샤인과 벨루아를 제외한 다섯 명의 신인족 중에서는 가장 연장자—폴과 같은 9살이었으나 그보다도 생일이 세

달 빠른 2월이었다─였는데, 그것을 감안해도 다른 녀석들과
비교해 압도적으로 체력이 우월했다.

"또 쌍단검? 너 거기에 적성 없잖아."

"할 수 있습니다. 단장님께서도 제게 아예 적성이 없는 건
아니라고 하셨습니다."

"도련님……."

샤인은 자신을 흉내라도 내듯 두 개의 단검을 들고 있는 마리
를 보며 난감한 표정으로 에반을 돌아보았다. 그러나 단련법을
계속 시행 중이던 에반은 괜찮다는 듯이 고개를 끄덕였다.

"쌍단검술에 조금이라도 적성이 있다는 것부터가 대단한
일이거든. 누구나 너처럼 말도 안 되는 수준의 재능을 타고나
는 건 아냐, 샤인."

"그래도 장검 쪽의 재능이 확실한 아이인데……."

"그걸 확인하기 위해서라도 몇 번 더 붙여줘. 하다 보면 본
인이 깨닫는 게 있겠지."

"끙……."

"부단장님, 부탁드립니다!"

"에휴."

에반의 응원을 등에 업고 기세가 등등해진 마리. 샤인은 어

쩔 수 없이 트윈 블러드를 쥐고 그녀와 대치했다.

자연체에 비슷하나, 언제 어느 방향에서 공격이 들어와도 바로 반응할 수 있도록 적당히 긴장된 자세. 그런 그의 모습에서는 벌써 수십 년 이상 단검을 다뤄온 자들이나 풍길 것 같은 기세가 느껴졌다.

그도 당연한 것이, 그만큼 수련 과정을 단축시키는 꼼수를 최고의 적성을 지닌 샤인이 꾸준히 반복해왔기 때문이다.

"큽……."
"언제든 와."

마리는 샤인의 기세에 위축되어 잠시 단검을 든 손에 힘이 풀리는 것 같았으나 샤인의 도발에 이익, 이를 악물며 두 개의 단검을 고쳐 쥐었다.

그리고 무릎을 살짝 굽혔다가 그대로 샤인에게 돌진했다. 그 속도가 화살이 쏘아내지는 듯 빨랐다.

"저 아이 성장이 무척 빠르군요. 방금 속도는 정말 놀랐습니다. 고블린이라면 반응도 못 할 겁니다."
"응, 그렇다니까요."

라이한은 그런 마리의 모습에 감탄을 표했다. 신인족이 약하게 타고난다는 것을 알게 된 그이기에, 아니, 당장 반년 전의 마리가 얼마나 약했는지 알고 있는 그이기에 더더욱 놀랄 수밖에 없었다.

"이미 일반적인 성기사 수련생의 수준에 근접한 것 같은데……. 신인단련법이 물론 대단한 단련법이라는 것은 분명하지만, 그것만으로는 설명할 수 없는 일이네요."

"그게 재능이라는 거죠. 진짜 이상해. 왜 저런 애가 레귤러가 되지 않은 걸까."

에반이 거둔 신인족 아이들은 대부분 전투와 무기술에 소질이 있는 뛰어난 재능의 아이들이었다. 애초에 그런 아이들이 신인족으로 태어나는 것이 아닌가 의심이 갈 정도로 말이다.

그런데도 이 다섯 명 전원, 요마대전 3과 4 본편에서는 단한 번도 언급이 되지 않는다. 던전에 들어가지 않고 힘들게 살고 있거나, 어딘가에서 죽었다는 얘기다. 아니면 에반이 모르는 DLC에서 나오거나!

에반은 그것이 정말이지 납득이 가질 않았다.

'신인족의 한계를 뛰어넘을 만큼 대단한 아이들인데…… 특히나 마리는 더더욱. 이래서 조기발견 및 조치가 중요하다는 건가.'

신인족 중에는 이렇듯 제대로 피어보지도 못하고 지는 아이들이 얼마나 많을 것인가, 에반은 가끔씩 그런 생각이 들 때마다 숨이 턱턱 막혔다.

　노예시장의 거래소장을 통해 지금도 꾸준히 알아보고는 있지만, 처음부터 예상했다시피 그리 녹록한 일은 아니었다. 그나마 이번에 또 세 명을 발견해 데려오는 중이라 하니 다행한 일이다.

　이번엔 그 아저씨한테도 보너스를 챙겨줘야지, 에반은 그렇게 마음먹으며 고개를 들었다.

　"그래서 대련은 어떻게 되고 있어요?"

　"이렇게 될 줄은 알았지만…… 일방적이네요."

　"큭! 크으윽……!"

　"거기, 자꾸 무너진다. 시선 돌리지 마."

　"큭…… 옙!"

　샤인은 일부러 마리에게 먼저 공격해 들어가지 않고 그녀의 공격을 받아주고 있었지만, 그녀의 자세가 흐트러지거나 큰 빈틈이 드러나면 반드시 그 부분을 공격해 그녀의 잘못을 몸으로 깨닫고 고치게 했다.

　그 모든 과정에서 숨 한 번 흐트러지지 않는 것이 그간 샤인의 실력이 더욱 늘었음을 실감케 했다.

　"여기까지."

"크윽…… 고맙습니다, 부단장님."

승부가 나기까지는 오래 걸리지 않았다. 마리의 공격은 조금도 샤인에게 위협이 되질 않았다. 그가 방어를 느슨하게 하고 있었음에도 불구하고 그러했다.

아마 그녀 본인도 깨닫고 있을 터였다. 자신에게는 쌍단검술이 맞지 않는다는 것을 말이다.

애초에 지금 그녀 수준으로는 쌍단검술이 생성조차 되질 않는다. 희미한 적성을 붙잡아 수련한다는 것은 그렇게 비참한 일이었다.

"지금이라도 바꾸길 권해. 어릴 때 하나의 무기술을 정해 거기에 집중하는 게 가장 좋다고 도련님께서도 언제나 말씀하고 계시잖아."

"하지만 저는 부단장님처럼 강해지고 싶어서……."

신인족 아이들에게 있어서는 아무래도 같은 신인족이면서 빠르게 강해져 에반의 곁에서 그의 시중을 들고 있는 샤인이 롤 모델과 같은 존재로 자리 잡은 모양이었다.

그중에서도 나이에 비해 성숙한 마리는 그런 욕구가 특히나 강했다. 처음 만났을 때부터 주관이 뚜렷하다 여겼는데 그게 틀리지 않았던 것이다.

"그래도 마리, 네가 강해지고 싶으면 더더욱 자신에게 맞는 무기를 선택해야지."

"끄응……."

그러나 샤인의 대답은 냉정했다. 마리는 풀 죽은 강아지 같은 소리를 내며 고개를 숙였다. 몇 번이나 반복된 좌절 끝에 드디어 쌍단검술을 익히고야 말겠다는 고집이 꺾인 모양이다.

좋아, 이 정도면 충분하겠지. 에반은 이쯤에서 힌트를 줘야겠다는 생각이 들었다.

"마리, 네가 쌍단검술에 희미하게나마 적성이 있다는 게 무슨 뜻이라고 생각해?"

"다, 단장님. 음…… 제가 쌍단검술에 적성이 있다는 건 두 개의 단검을 동시에 다뤄서 전투를 할 수 있다는 얘기가 아닌가요?"

"맞아. 그리고 사실 여기서 중요한 건 '단검'보다도, '두 개'라는 부분이야. 원래 두 손에 각각 무기를 들고 싸운다는 건 거기에 필요한 완력은 둘째 치고 굉장히 어려운 일이거든."

"두 개……?"

"응."

쌍단검술은 굉장히 복합적인 재능을 요구하는 무기술이다. 그중에서도 여기에 요구되는 가장 중요한 재능은 두 가지, 바로 단검을 다루는 재능, 그리고 두 개의 무기를 동시에 다루는 재능이다.

그리고 에반은 마리가 쌍단검술에 약간의 적성을 보인다는 것을 알게 된 순간부터 그녀가 나아갈 방향을 대충이나마 깨닫고 있었다.

"그건 한 손으로는 논문을 작성하면서, 다른 한 손으로는 피아노를 치는 것과도 같은 일이거든. 하지만 넌 거기에 적성이 있지. 원래 안 되는 애는 죽어도 안 돼."

요는 무엇이냐, 즉 마리에게 쌍검술 계열의 적성이 있다는 얘기다. 하지만 그것이 쌍단검술은 아니다. 에반이 하려는 말을 마리도 곧 알아들었다.

"제가 다룰 수 있는 무기를 찾아봐야 할까요?"

"아마 하나는 장검일 거야. 넌 장검에 탁월한 적성이 있으니까. 하지만 나머지 한 손에 무엇을 쥐어야 할까, 그건 좀 더 고민해봐. 또 다른 장검일 수도 있고 단검일 수도 있겠지."

"정말로 고맙습니다, 단장님!"

에반의 말을 들은 마리의 파아란 두 눈이 크게 뜨였다. 그녀는 머리는 짧게 자른 단발이 휘날리도록 에반에게 꾸벅 고개를 숙이고는 곧장 수련장을 나가버렸다.

아마도 당장 제 진정한 적성을 찾으러 간 것이겠지. 열두 살 에반은 그런 마리의 뒷모습을 보며 '이것이 젊음인가……!' 하고 중얼거렸다가 라이한의 눈총을 받았다.

"다, 단장님."
"단장님, 저도……."

에반과 마리의 대화를 지켜보던 다른 신인족 아이들이 조심스레 그에게 다가오며 목소리를 냈다. 아마 마리에게 그랬듯이 자신의 적성 또한 봐달라는 얘기가 아닐까?
하지만 다소 복잡한 적성을 타고난 마리와는 달리 이들 대부분의 적성은 이미 분명하게 판명이 났다. 그 이상을 원한다고 뭐 더 얹어줄 수 있는 것이 없었다.

"디토 너는 도끼의 적성이 가장 높아. 쌍도끼? 아니야, 좋은 말로 할 때 그냥 크고 무거운 도끼 하나만 들어. 멜슨 너는 몸이 날래고 눈썰미가 좋아 도적에 적합할뿐더러 채찍과의 궁합이 찰떡이니 뭘 더 고치려 들 것도 없고……."
"저는 단장님께 격투술을 배우고 싶어요!"

아이들에게 괜히 엄한 거 익힐 생각 말라는 뜻에서 한 마디씩 해주는데 옆에서 씩씩하게 한 손을 들고 외치는 이가 있었으니, 올해로 여덟 살, 에반보다 네 살이 어린 신인족 여자아이 에나였다.

그녀는 샤인과 비슷한 검은 눈을 갖고 있었지만 피부는 상당히 밝아 검은 눈과의 대비가 또렷한 아이였다. 신인족들은 이상하게 다들 예쁘고 잘생겼다니까, 에반은 새삼스레 그리 생각했다.

"아니, 에나 너는 그렇게 훌륭한 창 적성이 있으면서 왜 격투술을 익히겠다는 거니……?"

에나는 방금 열거한 아이들보다 무기술의 적성이 월등히 높았다. 단적으로 말하자면 던전 기사단원 중 샤인과 라이한의 뒤를 잇는 초월적인 적성의 소유자랄 수 있었다.

그러니 그냥 신인단련법과 창에만 매진하면 된다고 몇 번이나 말해줬는데, 대체 어째서 격투술 같은 적성도 족보도 없는 기술을 익히겠다는 것인가!

게다가 이건 다른 무기술 수련과 달리 익히는 데 특별한 꼼수도 없어서 순수하게 시간과 몸을 갈아야 한단 말이다!

"무기가 없는 상황에서도 잘 싸우고 싶어요. 던전에서는 어떤 일이 일어날지 모른다고 단장님이 그러셨잖아요."

"후우…… 에나, 잘 들으렴. 격투술에 따로 시간을 할애하면 그만큼 무기술에 집중할 수 없어서 손해야. 괜히 다들 격투술의 기초만 다지고 무기술로 넘어가는 게 아냐."

"격투술도 몸을 강하게 해주잖아요. 게다가 창술과 함께 격투술을 섞어서 전투에 활용할 수 있을 거예요!"

"격투술을 창술에 섞다니…… 아, 각법?"

"넵!"

맨몸을 단련하여, 전신을 활용하여 승리하는 데에 목적을 두고 발전해온 격투술은 알고 보면 지극히 야만적이며 딱히 정해진 법도도 규칙도 없는 전투기술이다.

손도 쓰고 발도 쓰며, 무릎도 쓰고, 머리도 쓰고(물리적으로), 팔꿈치도 쓰고…… 하여튼 인간의 육체를 사용할 수 있는 온갖 방향으로 사용하는 게 격투술인 것이다.

그럼에도 불구하고 굳이 격투술을 두 가지 대분류로 나눈다면 첫째가 주먹질—권법—이고, 둘째는 발차기—각법—라고 할 수 있을 것이다.

"각법…… 그야 순간적으로 적이 네 코앞에 나타났을 때, 창을 휘두르거나 내지르기 힘들 만큼 좁은 환경에서는 도움이 될 수도 있겠지. 음……."

그러나 에반은 그것도 정답은 아니라고 생각했다. 애초에 먼 거리를 공격할 수 있는 창을 들고 있으니 적이 접근하기 전에 쳐 죽이면 될 일이요, 창을 휘두르기 힘든 환경에 함부로 들어가지 않으면 될 일인 것이다.

"격투술을 배운다면 좀 더 편하게 움직일 수 있을 것 같아요!"

그럼에도 불구하고 에반이 에나의 청을 거절하지 못하는 것은, 그녀가 단순히 강해지고 싶어서 그에게 조르는 것이 아니라는 사실을 알고 있기 때문이다.

신인족들은 대부분 타인에게 배척받으며, 가족에게도 사랑받지 못하고 자라난 탓에 정을 갈구하는 면이 크다.

아마 에나는 격투술을 에반에게 배우는 것으로, 자신과 에반이 조금 더 가까워지기를 바라고 있을 터였다.

"……그래, 그럼 조금만 해보자. 하지만 그렇다고 창술에 할애하는 시간을 줄여선 안 돼. 그만큼 네가 체력적으로 힘들어질 거란 얘기다. 감수할 수 있겠어?"

"감수하겠습니다! 정말로 고맙습니다!"

"저도요!"

"저도!"

"단장님!"

"……그럼 나도."

에나가 에반으로부터 허락을 얻어낸 바로 그 순간 그녀 옆으로 다른 신인족 아이들이 타다닥 달라붙었다. 아주 귀신같은 반응속도였다.

에반은 어이가 없어 그들을 가만히 보았다. 특히 은근슬쩍 그들 옆에 선 아리샤를 보았다.

"넌 왜 섰냐."
"재밌어 보여서."
"재미없으니까 빠져라."

에반은 정말로 격투술의 기초만 가르쳐주겠다며 단단히 일렀지만 아이들은 마냥 좋아하는 표정이었다. 그는 한숨을 쉬며 우선 30분 정도 아이들에게 기초 동작을 숙달시키고는 자리를 나왔다.
어느덧 연금술 수업에 갈 시간이었던 것이다.

❋ ❋ ❋

그날 오후, 연금술 수업 시간. 에반은 버나드가 갖고 있던 장서 중 한 권에서 찾아낸 문장을 다른 서적과 대조해보다 말고 아, 탄식을 흘렸다.

"아, 빙하의 눈물. 이건 아무리 봐도 세상 반대편, '영원빙하'에나 가야 있겠는데요. 우리나라 북방 정도로는 어림도 없겠어요."
"너도 그렇게 생각한다면 이건 확실하군. 망했구나."
"망했죠."

요즈음의 연금술 수업은 급격히 성장한 에반의 연금술 실력 탓에 이론과 실습이 점점 줄어들고, 그 대신 사제가 함께 엘릭시르의 탐구를 함께하는 시간으로 변질되어가고 있었다.

지금도 그들은 엘릭시르의 재료 분석과 확립을 위한 작업에 몰두하고 있었다. ……다만 그게 그리 순탄치만은 않았다. 당연하게도 말이다.

"흐어. 역시 지금 당장 움직이기에는 무리가 있는 것들뿐이네요."

"엘릭시르의 연금은 인간에게는 미답의 영역이었으니 말이다. 그 재료조차 미답의 영역에 고스란히 놓여있는 것들이 많을 수밖에."

"그렇다고 이걸 공고를 낼 수도 없고, 결국 직접 발품을 팔아야 하는데……."

지금의 에반이 세상 반대편까지? 잠시 생각해본 에반은 이내 고개를 절레절레 저었다. 제아무리 버나드가 함께한다고 해도 이 연약한 몸으로 그런 대장정에 따라나설 수는 없었다.

최소한이라도 던전 50층 정도는 클리어하고 던전레벨 51을 찍고 나서야 아, 이 정도면 지나가던 사람이 칼을 찔러도 배가 뚫리지는 않겠구나, 싶을 것이다.

"누가 연약하다고? 다시 말해보거라, 내가 연약이라는 단어의 뜻을 잘못 알고 있느냐?"

"하지만 성년이 되면 던전 기사단장이 되니, 더더욱 이 도시를 벗어나기는 힘들어질 테고."

버나드의 말을 깔끔하게 무시한 에반이 뚱하니 중얼거리며 자신의 노트에 엘릭시르의 핵심 재료 목록을 갱신하고 있는데 옆에서 그가 재차 태클을 걸었다.

"그래도 던전 기사단장이 그렇게 빡빡한 소명은 아니지 않느냐. 아예 도시를 떠나는 건 불가능해도 몇 달간 도시를 비우는 정도야 아무렇지 않다고 들었다만."

"으음…… 뭐, 그렇긴 하죠. 사실 까놓고 말해 던전 기사단장이라는 직위 자체가 명예직 같은 거니까요."

무조건 귀족, 그것도 셰어든 가문에 속한 자들만이 임명받을 수 있는 자리인 것이다. 사실 거기에 그 사람이 꼭 필요하다기보다는 던전도시를 다스리는 귀족의 구색을 맞추는 경향이 더욱 강한 자리이기는 했다.

던전 기사단장은 어디까지나 총지휘권을 지니고 있을 뿐 실제로 현장에서의 지휘권은 부단장이나 다른 간부에게 맡겨버리는 경우도 많았고…… 아니, 실은 절대다수가 그러했다.

"하지만 그렇다고 던전 기사단장이 되자마자 자리를 비우는 건 좀⋯⋯."

"음, 확실히 그도 그렇구나. 책임감이 많이 없어 보일 테니."

"하하, 그쵸?"

버나드에게는 이렇게 말했지만 물론 이유는 그것뿐만이 아니었다.

에반이 성년이 되어 던전 기사단장이 되고, 그로부터 2년이 지나면⋯⋯ 요마대전 3의 주인공이 이곳 던전도시에 오게 되는 것이다!

'그리고 그 시점에서부터 요마대전 3의 스토리가 본격적으로 시작되며 던전도시에 암운이 드리우지. 주인공 놈은 풍운의 꿈을 안고 찾아온 던전도시가 곧 마경으로 변하게 되리라는 건 모를 거야⋯⋯.'

본격적으로 활개를 치기 시작하는 마족들, 강해지는 몬스터들.

굳건하리라 믿었던 요마왕의 봉인에는 금이 가고, 하필이면 그것과 시기를 맞추어 나라에서는 내분이 일어나고, 타국에서도 동시에 심상치 않은 일들이 일어난다.

요약하자면 전 세계적인 규모의 개판이 일어나 이 세상이 총체적 난국이 된다고 말할 수 있었다.

'개중에는 요마대전 3 당시에는 해명되지 않고 끝나는 일들도 많았어. 나중에 알고 보면 그게 다 요마대전 4를 위한 복선이었더랬지.'

요마대전 3을 게임으로 즐겼던 당시에는 '아, 겁나 찝찝하네, DLC나 빨리 내줬으면 좋겠다'고 생각하며 그냥 클리어하면 됐지만 안타깝게도 현실에선 그것이 불가능하다.

요마대전 3의 여파를 미처 해소하기도 전에 요마대전 4의 재앙이 밀려오게 될 것이다. 그리고 그것에 직격타를 받는 것은 물론 이곳 셰어든.

그런데 그런 중차대한 시점에 에반이 도시를 비운다? 있을 수 없는 일이었다.

'물론 내가 이곳에 머무른다고 딱히 뭔가가 해결되지는 않을 거야. 하지만 그렇다고 해서 엘릭시르나 만들겠다며 도망칠 수는…… 절대로 없어.'

그는 매번 죽어 나갈 뿐인 엑스트라지만 셰어든 가문의 나머지 인물들은 전원 요마대전 3과 요마대전 4의 레귤러들이고, 본편이 진행되며 하루걸러 하루 꼴로 위기와 직면하는 신세가 된다.

그런 상황에 가족들을 사지에 내던져두고 에반 혼자 도망갈 수는, 절대로, 없었다. 가족들은 에반의 목숨만큼이나 소중했다. 단언컨대.

'주인공이나 다른 위험인물들과는 결코 연관되지 않도록 가족들을 보호하면서, 나 자신은 뒤에서 은밀히 주인공이 잘 성장할 수 있도록 이것저것 챙겨주는 거야. 아무리 생각해봐도 그게 제일 좋은 방법이야.'

그리고 던전 기사단장은 그러한 일들을 수행하기에 안성맞춤의 직위였다. 물론 입장이 입장이다 보니 주인공과 몇 번 정도 얼굴을 마주하게 될지도 모르지만 그 정도 위험은 감수해야 했다.

막말로 주인공의 동료, 즉 파티 취급이 되어 함께 라스트 보스 던전에 끌려가지만 않으면 되는 것이다! 거긴 진짜 살아서 나올 수가 없으니까. 에반이 들어가면 무조건 죽으니까!

겁나 무섭고 살벌하게 생긴 요마왕이 주인공은 안 노리고 이상하게 에반만 먼저 죽이려고 드니까! 다시 생각해보니까 그 새끼 진짜 이상한 새끼네!

'어쨌든 상황을 이쪽에 유리하게 조절하기 위해서도 결코 그 시기에는 던전도시를 떠날 수 없지. 일단 본편이 시작되기 전까지 최대한 엘릭시르 연구를 진행시키고, 나머지는 할아버지께 맡기든 만약 나중에 일이 잘 풀리거든 그때가 되어서 나도 합류를 하든…….'

"에반."

에반이 생각을 이어나가던 때 문득 버나드가 불러 고개를 들어보니, 버나드가 사뭇 진지한 표정으로 그를 바라보고 있었다.

"넌 성인 이후의 일을 얘기하거나 생각할 때면 언제나 그렇게 섬뜩한 표정을 짓고 있구나."
"히, 들켰어요? 어른이 되는 게 무서워서요."

에반의 순진한 척에 버나드가 코웃음을 쳤다.

"거짓말하지 마라. ……대체 뭘 보고 있는 게냐? 네 눈에는 무엇이 비치고 있느냐?"
"어, 음……."

버나드에게 모든 것을 숨긴다는 것은 불가능하다. 버나드는 에반의 친인들이 흔히 그러하듯 에반에게 미래를 내다보는 능력이 있으리라 짐작하고 있었고, 그가 괜히 필요 이상으로 숨기려 해봤자 피차 피곤할 터였다.
에반은 머리를 긁적이곤 최대한 단어를 골랐다. 최대한 애매하고, 부정확하게 말했다.

"그냥 좀…… 나중에 이 도시에 좀 위험한 일들이 벌어질 것 같은, 그런 불길한 예감이 막연히 들어서요."

"위험한 일들……."

"네."

"……그래, 역시 그러하냐."

……잠깐만. 역시? 뭐가 '역시'라는 거지? 에반은 버나드의 말에서 위화감을 느끼곤 눈을 가늘게 떴다.

그의 분위기가 바뀐 것을 알아차린 버나드 또한 미미하게 고개를 끄덕이더니 풀어놓았던 자료들을 한 손으로 정리해 수납했다. 연구시간은 이로써 끝난 것이다.

"할아버지, 할아버지도 혹시 뭔가 알고 계신 건가요?"

"음. 알고 있다고 해야 할까, 이렇게 될 줄 예상했다고 해야할까……."

버나드가 자신에게 여태껏 해주지 않았던 이야기를 해주려한다는 사실을 에반은 직감했다. 그가 잽싸게 자세를 고쳐 앉자 버나드는 눈치 빠른 놈, 하고 가볍게 혀를 차며 그와 마주보고 앉았다.

"너라면 이미 어느 정도 짐작하고 있었을지도 모르지. 하지만 네게 세상의 역사를 읽어내는 능력이 없는 이상, 과거 내가 정확히 누구와 무슨 일들을 하고 돌아다녔는지까지는 모를 것이다. 악마들을 몰아내고 인간의 시대를 연 고대의 대마도사의 이름을 알아내는 것만큼이나 불가능한 일이지."

"네, 그렇죠. 제가 고대의 대마도사 이름을 어떻게 알아요."

버나드가 누구랑 무슨 일을 하고 돌아다녔는지는 알지만 말이야! 에반의 포커페이스 스킬이 1레벨 올랐다!(거짓말)

"여태까지는 굳이 네가 알 필요 없는 일들이라고 생각해 말하지 않고 있었다. 나는 그대로 은둔해 여생을 보낼 작정이었고, 이후의 세계가 어떻게 되든 그것은 후대에게 맡기고자 마음먹고 있었으니까."

"그렇……군요."

실제로 요마대전 3 이후로 버나드는 등장하지 않는다. 요마대전 2의 인물들이 몇몇 나오긴 하지만 시리즈의 주인공이었던 레오 아르페타 역시 나오지 않는다.

아마도 둘은 힘들고도 위대한 비행을 마친 끝에, 이젠 날개를 접고 아무도 모르는 고요하고 평화로운 곳에서 편히 휴식을 취하고 있으리라.

모든 이가 그렇게 말했고, 모든 이가 그것을 납득했다. 그들은 너무 많이 고생했으니까. 더는 누구도 그들을 괴롭힐 자격이 없었으니까.

"그런데 왜 갑자기 제게 말씀을 해주시려는 거예요? 미래가 불안하다는 얘기를 해서?"

"그것도 있고…… 내가 말을 안 해도 곧 들키게 생겼으니까."

"……할아버지."

에반이 하얀 표정으로 버나드를 째렸다. 그는 큼큼 헛기침을 하며 에반의 이마에 가볍게 알밤을 먹였다.

"할애비를 그런 눈으로 보는 게 아니다, 이놈아. 여태까진 모르고 넘어가는 게 좋다고 생각했을 뿐이다. 하지만 근처에서 너를 지켜보며 그 생각이 조금씩 바뀌어오고 있던 찰나에 그 녀석의 편지가 쐐기를 박은 게야."

"역시 그 편지가……."

"일단은 친구라고 불러야 할 놈이지만…… 누구한테서 왔는지는 지금 말해주지 않을 게다. 항상 네놈이 먼저 나를 놀라게 해왔으니, 이번엔 내가 네놈을 놀래킬 차례다."

"……."

사실 얘기가 이쯤 진행되면 에반도 누구한테서 편지가 온 것인지 대충 짐작이 가고 있었지만, 여기서 그 이름을 입에 냈다간 정말로 버나드가 에반을 의심하거나 심장마비로 쓰러지거나 둘 중 하나일 것 같아 말하지 못했다.

"저, 정말 기대되네요."

"기대하지 마라. 세상에는 모르고 넘어가는 게 좋은 일도 있고, 만나지 않고 스쳐 지나가는 게 좋은 놈도 있다. 내가 그 놈에게 휘둘리느라 청춘을 고스란히 날린 것을 생각하면 자다가도 이가 시리다."

"허전한 옆구리도 같이 시리고…… 웃차."

에반은 다시 쏟아지는 버나드의 알밤을 능숙하게 피해내며 그에게 물었다.

"그러면 그 친구분은 언제 오시는 거예요?"

"아마 앞으로 몇 주 걸리지 않을 게다. 축제 시즌과 겹치지 않을까 싶구나."

"오오, 잘됐네요. 세어든을 아주 온몸으로 즐기고 가시겠 어요."

"글쎄다. 그놈이 나잇값도 못하고 난동이나 부리지 않으면 다행이다만……."

버나드는 자신의 친구가 젊을 적 저질렀던 온갖 기행들을 돌이켜보며 벌써 골이 아프다는 표정을 짓더니, 고개를 절레 절레 저으며 말을 이었다.

"그놈 얘기는 됐다. 그놈과 만나게 되면 그때 하자꾸나. 지금 중요한 것은 네가 말한 불안한 미래, 그리고 내가…… 우리가 남겨놓은 불안한 과거다."

"불안한 과거?"

"그래."

불안한 과거라니, 이상하다. 요마대전 2에 그런 DLC가 있던가? 나중에 PC판으로 리메이크되면서 시나리오가 추가되긴 했지만 그건 다 클리어했었는데?

에반은 여기서 처음으로 불안감을 느꼈다. 그리고 그런 불안감은…… 슬프게도 빗나가는 법이 없었다.

"……에반, 너는 마화족에 대해서 아느냐?"

"마화족?"

반문하는 에반의 목소리가 살짝 떨렸다. 버나드는 그것을 눈치채지 못하고 한숨을 쉬며 말을 이었다.

"그래. 수십 년 전, 전 대륙을 뒤덮었던 끔찍한 저주, 전염병, 균. 사정을 모르는 일반인들은 아직까지도 그렇게만 인식하고 있는 재앙. 그러나 사실은 뚜렷한 실체를 지니고 있는 생물체이며, 마왕의 피를 이은 무서운 마족들이며…… 아직까지지도 대륙 어디엔가 살아있는 명줄 질긴 놈들이지."

"아직 전멸 안 했다고요, 마화족이!?"

"아느냐!? 허어, 서적은 모두 불탄 줄 알았는데…… 관련 서적이 아직까지 남아있었어!?"

에반이 깜짝 놀라 외치자 버나드는 두 눈을 부릅뜨며 경악 했지만, 지금 에반은 그것도 알 바가 아니었다.

그도 그럴 것이…… 요마대전 2의 주적, 마화족은 이미 전 멸했어야 하는 것이다! 버나드 가르시아와 레오 아르페타의 손에 의해, 이미 수십 년 전에!

……게임 속에서는 확실히 그랬는데!

요마대전은 전통적으로 스토리로 호평을 받는 명작 시리즈 이지만, 시리즈의 태초라 할 수 있는 요마대전 1은 —당시에 는 1이라는 표기를 붙이지도 않았다— 그래도 상당히 단순한 구조를 지니고 있었다.

인간 세상과 그에 대적하는 마족들의 관계를 재밌게 그려냈 다는 점에서 극찬을 받고는 있지만, 결국 대결 구도는 인간의 용 사와 마족의 마왕, 굉장히 전통적인 클리셰를 따른 것이다.

'그래서 2의 마화족이 더욱 신선하게 느껴졌었어.'

마화족, 생각만 해도 이가 갈리는 이름이다. 요마대전 2를 보 다 비극적이고, 보다 힘들게 만든 주역이 그놈들이었으니까.

마화족은 온갖 미디어 매체에 등장하는 외계인과 병균 중에서 가장 악랄한 점만 골라 만든 생명체라고 할 수 있었다. 민들레 꽃씨처럼 피어나 퍼지며, 그것이 정착한 곳의 생명 에너지를 빨아먹고 자라나는 마족.

'그래서 마화魔花라고 불렸지. 마의 꽃…… 지금 생각하면 정말 지독한 네이밍이야. 제작진 빌어먹을 놈들, 유통기한 지난 우유 먹고 설사병이나 걸려라!'

땅에 정착하면 땅의 에너지를 빨아먹고, 바위에 떨어지면 바위의 에너지를 빨아먹고, 나무에 떨어지면 나무의, 강에 떨어지면 강의 에너지를 빨아먹고 자라나, 개화한다.

그 자체로도 충분히 위협적인 마족이지만 더욱 최악인 점은, 그들이 죽으며 다시 많은 꽃씨를 퍼트려 번식한다는 점이다.

"그건 그나마 나은 경우였다. 마화족이 진정한 악몽이 되어 나타나는 것은…….”

"동물, 다른 몬스터…… 그리고 인간에게 기생했을 때. 맞죠?"

"그래, 제대로 알고 있구나.”

동물과 몬스터를 잠식한 마화족은 그들의 육체와 융합해 재탄생한다. 그 끔찍한 힘은 인류의 재앙이라 불리기에 부족함이 없었으나, 더욱 끔찍한 일은 바로 마화족이 인간의 몸에 파고들었을 때에 나타났다.

"조금만 더 빠르게 대처할 수 있었다면 얼마나 좋았을
까……. 그것에 잠식당한 자는 생명 에너지를 빨려 시름시름
앓기 때문에 처음 마화족이 나타났을 땐 모두 그것이 전염병
이라고 생각했다. 그 일대의 대지며 꽃, 나무들이 죽는 모습
을 보면서 대규모 저주라는 설도 대두되기 시작했지."

젊고 패기 넘치며 실력까지 최상위인 연금술사, 버나드 가
르시아는 바로 그것을 해결하기 위해 지방도시의 영주에게 불
려간다.
그리고 거기서 그는 조우하게 된 것이다. 가족을 모두 죽였
다며 끌려온 젊은 죄인이었던 친구와.

"하지만 그분이 죽인 사람들은 이미 가족이 아니었죠? 마
족이었을 거예요."
"……맞다. 마화족에 기생되어 생명 에너지를 모두 잃은 인
간은 죽고, 속에서 자라난 마화족이 그 육체를 차지한다. 그
러나 그들은 교활하게도 자신의 정체를 감추고 인간사회에 파
고들고자 했지. 그리고 최종적으로…… 인간들을 대규모 의
식의 제물로 삼아 요마왕을 불러내려 했어."

놈들은 인간의 육신을 뒤집어쓰고 있는 탓에 고위 사제의

정화마법을 받지 않는 한은 놈들의 정체가 드러나지 않기도 했다. 그래서 놈들을 색출해 사냥하는 것이 더더욱 까다로웠던 것이다.

"악몽이었죠."

"……악몽이었어. 근데 넌 마치 그 자리에 있던 사람이라도 되는 것처럼 말하는구나."

"제 감수성 풍부한 거 아시잖아요."

그들 중에는 아직 인간으로 남은 자들, 이미 인간이 아니게 된 자들, 반드시 살려야 할 자들…… 그들 모두가 섞여 있어 실로 끔찍한 혼란을 연출했다.

게임을 즐겼던 플레이어들도 처음에는 그것을 알 방도가 없었기 때문에, 매 순간 옳은 선택을 해야 한다는 긴박감과 등줄기를 슬그머니 기어 올라오는 긴장감이 실로 일품이었다. 심하면 누가 대사 한 마디 칠 때마다 세이브를 하는 사람도 있었다. 여반민도 그중 한 명이었다.

"실로 험난한 싸움이었다. 나와 친구는 뜻이 맞는 동료들을 모아 마화족들에게 대적하며 동시에 놈들에 대해 연구했고…… 결국 마화족을 인간에게서 분리시키는 방법을, 인간과 마화족을 구분하는 방법을 알게 되었다. 나아가 놈들의 번식력을 억제하고 약화하는 약 또한 만들어낼 수 있었지."

"역시 버나드 할아버지야."

친구와 함께 연구했다고는 하지만 기실 그것은 오롯이 버나드의 공이라고 봐야 했다. 용사 일행 중에 뭔가 연구하고, 새로운 무언가를 만들어낼 수 있는 이는 천재 연금술사인 버나드뿐이었으니까.

괜히 버나드가 요마대전 2에 주인공 레오 아르페타와 더불어 투톱으로 나오는 게 아닌 것이다. 그렇기에 요마대전 2는 젊은 영웅의 성장기이면서 동시에 위대한 연금술사의 탄생기이기도 했다.

그런데 게임과 같이 위대하고 멋진 이 이야기에 에반은 차마 상상도 못 했던 한 가지 흠이 있었으니.

"그런데 대체 왜 놈들을 전멸시키지 못한 거예요?"

에반은 슬그머니 올라오는 두통에 제 머리를 감싸며 버나드에게 따지듯이 물었다. 버나드도 살짝 부끄러웠는지 큼, 괜히 헛기침을 한 번 하며 말을 이었다.

"구분을 할 수 있게 된다고 해서 다 쓰러트릴 수 있을 만큼 만만한 놈들이 아니었으니까. 더욱이 타국의 국왕들을 설득하는 과정에서 시간을 너무 많이 소모하기도 했다. 실크라인 국왕은 적극적으로 우리를 도왔고, 그 덕에 던전도시를 갖고 있는 다른 나라의 국왕들도 어떻게든 설득할 수 있었으나……
문제는 남방에서 발생했지."

"남방? 농업국가 호우미?"

대륙의 남방. 보다 정확히는 남동쪽에 위치한 호우미는 사
계절이 뚜렷해 사람이 살기에는 무척 개 같지만 토지가 비옥
한 덕에 농작물은 제법 잘 자라나는, 전 세계 식량 생산의 절
반 가까이를 책임지고 있는 어마어마한 규모의 농업국가다.

국제 교류가 발달하며 각국의 인구성장과 생산성이 크게
향상된 것은 호우미의 농작물 생산에 큰 지분을 두고 있었으
므로, 어지간하면 그 어떤 나라도 호우미와는 척을 지려 하지
않았다.

"호우미도 늦었지만 그보다 더 남방, '에스카로티'다. 하필
이면 마화족의 핵심, 지배자 장미여왕이 그곳에 있어 사태가
더욱 심각해졌지."

"Oh……."

방금 버나드가 말했듯 요마대전 2의 최종결전은 에스카로
티라는 나라를 배경으로 삼고 벌어진다.

제한된 시간 내에 던전도시 셰어든에서 성장을 마치고, 최
대한 빨리 스토리를 빼고 사람들을 설득하고 다녀야 에스카
로티에서 보스와 인카운터 하는 것이 가능해진다.

늦으면? 요마왕이 완전체로 소환되며 깔끔하게 게임 오버다.

"설마 만나지도 못한 거예요!? 아니죠, 아니라고 말해줘요."
"그랬으면 이미 이 세상이 끝장났지. 그렇게 늦지는 않았다. 장미여왕과 확실히 만났고, 잡았다. 잡았어, 잡았는데……."
"……그럼 뭘 놓친 건지 말씀해보세요."

이 할아버지가 듣는 사람 짜증나게 자꾸 말꼬리를 흐렸다. 에반은 용의자를 취조하는 형사처럼 날카로운 목소리로 물었다. 버나드가 후우, 한숨을 내쉬며 답했다.

"에스카로티 인구의 절반을 잡아먹고 불완전하게나마 소환되었던 요마왕도 어떻게든 다시 되돌려 보냈고, 장미여왕 또한 뿌리까지 확실하게 태워버렸다. 다만…… 그 과정에서 여왕의 씨앗을 하나, 놓치고 말았구나."
"Ah……."

에반이 짙은 탄식을 흘렸다. 그럼 언젠가 다시 마화족이 세상에 나타날지도 모른다는 얘기잖아! 현실의 영웅들이 게임만 못하다니, 본판보다도 멋지게 자라나고 있는 샤인이나 벨루아를 좀 보고 배웠으면 하는데 말이지!

심지어 이건 그냥 후대에 넘기고 잠적하면 욕먹을 수준이 아닌가, 하는 생각이 살짝 들었으나 버나드는 억울하다는 듯이 입술을 비쭉였다.

"이놈아, 그렇게 째려보지 말아라. 나는 최선을 다했단 말이다. 여왕이 결코 살아나지 못하도록, 마화족이 다시는 이 대륙에 뿌리를 내리지 못하도록 특제 약을 광범위하게 뿌리고, 모든 사제들의 도움을 받아 확산시키기까지 했다. 절대로 살아나지 못했으리라 믿었고, 실제로도 그랬다. 안 그랬으면 수십 년씩이나 이 대륙이 멀쩡히 남아있었겠느냐."

"들어보니 그도 그렇네요. 그럼 왜?"

버나드는 입맛을 쩝 다시며 말했다.

"레…… 내 친구가 대륙을 떠돌아다니다 어느 날 발견한 것이다. ……마화족의 변종을."

"Oh……."

에반의 탄식이 깊어졌다. 하긴 그렇지, 대다수의 병원균이 그에 대항하는 약의 개발에 맞추어 진화하지 않던가! 그런데 그 일이 마화족에게도 일어났을 뿐인 것이다!

에반에게 맞추어 버나드도 푹푹 한숨을 내쉬며 말했다.

"그나마 다행한 점은, 내게 워낙 호되게 당한 탓인가 놈들은 더 이상 인간에게 기생하지 않게 되었다는 것이다. 포자의 번식력 또한 말도 안 되게 줄어들었고. 대신…… 이쯤 말하면 알아듣겠지?"

"동물과 몬스터?"

"그래. 놈들은 오직 몬스터에만 침식하기 시작했다. 그렇게 느리지만 확실하게 전력을 불리고 있어. 이미 요마왕 강림이라는 대업은 저 멀리 던져버리고, 오직 우리에 대한 복수심만이 남아 인간을 죽이는 데에 특화해 진화하고 있는 것이지."

"……."

에반은 침묵했다. 과연, 어째서 버나드가 여태까지 이 문제에 대한 설명을 해주지 않았는지 그도 이제 이해했다.

이 일이 물론 심각한 일이기는 하지만 지금 당장 움직이지 않으면 인류가 절멸할 정도의 사건은 아니었을뿐더러, 또 적극적으로 움직인다고 바로 해결의 여지가 보이는 사건도 아니게 되었기 때문이다.

"다만 앞으로 인류의 미래가 심히 고달파지기는 할 게다. 미래에 대해 불안해하는 너를 보고 있자니 그 미래가 마화족 변종의 발견과 닿아있는 것이 아닐까, 하는 생각이 들더구나. 더구나 친구까지 직접 이곳에 온다고 하니, 이젠 말해줄 때가 되었다 싶었다."

그게 아닌데. 그것 말고도 걱정해야 할 일이 산더미 같은데

어째서 이 할아버지는 짐을 하나 더 얹어버린단 말인가. 에반
은 오열하고 싶은 심정이었다.

이래서야 던전도시만 위험한 게 아니라 던전도시 바깥까지
위험해진 거잖아! 본편이 시작되어야 총체적 난국이 된다는
에반의 아까 생각은 틀렸다. 이미 총체적 난국이다! 이 빌어
먹을 세상은 평화로운 때가 없었다!

"그럼 이번에 오신다는 친구분은⋯⋯."

"나와 상담하고 싶은 게 있다고 하는구나. 아마 변종을 상
대할 때 유효한 약에 대해 물어보고 싶은 것이겠지. 나는 이
미 그쪽에는 손을 뗐다고 하는데도, 하여간 매번 귀찮게 하는
놈이다."

그렇게 매번 귀찮다는 듯이 대꾸하면서도 결국은 친구를
도와주는 것이 요마대전 2의 버나드 가르시아였다. 그리고 에
반이 봤을 때 그 성격은 여전히 그에게 남아있었다.

따라서 에반은 별 고민도 없이 말했다.

"저도 도와드릴게요."

"네가? 날?"

"도움이 될걸요?"

비록 변종에 대한 지식은 없다지만 여태까지 에반이 쌓아

온 연금술은 결코 거짓이 아니다.

지금 그에게 불로장생의 묘약을 연구할 자격이 있듯이, 신약을 만들고자 하는 버나드에게도 충분히 도움이 될 것이다.

"힘들 텐데."

"연금술 수업도 되겠죠, 뭐. 친구분도 뵙고 싶고요. 그리고 또, 지금 좋은 약을 만들어두면 나중에 우리가 덜 위험해질 거 아녜요. 사실 이쪽이 제일 중요한 이유예요."

"안 그래도 소개해주려 했다. ……흥, 그럼 어디 고생해보든가 해라."

에반의 단호한 태도에 버나드는 코웃음을 치면서도 끝내 고개를 끄덕여주었다. 속으로는 흐뭇해하고 있는 게 빤히 보였지만 에반은 굳이 별다른 말은 하지 않기로 했다.

대신 신경이 쓰였던 다른 부분에 대해 질문하기로 했다.

"그래서 결국 편지 봉투에 붙어있던 하트는 뭐예요?"

"몰라도 된다, 이놈아."

결국 버나드는 재차 에반의 이마에 알밤을 먹였다.

Chapter 22.
에반 디 셰어든, 전설과 만나다

9월도 중순을 넘어서자 던전도시의 활기는 이제 열기라고 불러야 할 수준으로 발전했다. 모든 사람들이 축제를 위해서 움직이고 있는 것이 아닌가 하는 생각이 들 정도였다.

더구나 전투 길드가 뭉쳐 구성한 드림팀에 의한 45층 공략에 힘입어, 그 드림팀 멤버들이 각각 지휘하는 낙원유랑 길드와 천둥새 길드의 공략팀이 기어이 사상자 없이 45층을 무사공략 했다.

방패수들을 전문 육성하는 히트실드 길드는 자체 공략은 불가능해도 결국 거의 모든 길드의 45층 공략에 용병으로 동원되니, 그들 또한 45층을 공략한 길드 목록에 이름을 올리게 될 터였다.

"그리고 드디어 오늘, 피닉스 길드까지 공략에 성공했다고 메이벨 언니가."

"그래서 이 밤중까지 저렇게 대낮처럼 밝은 거였냐. 도련님께서 8년 후의 3강으로 낙원유랑, 천둥새, 피닉스를 꼽으시더니 8년 후는커녕 지금도 마찬가지네."

샤인은 저택 복도의 창 너머, 희미하게 보이는 시내의 불빛에 혀를 내두르며 중얼거렸다.

벌써 일주일 가깝도록 이 도시는 잠들지 않고 있었다. 이 불면증은 아마도 축제가 끝나기까지는 기꺼이 지속될 터였다.

"도시의 모두가 들떠있어. ……샤인, 괜히 그 분위기에 휩쓸리지 마."

"알고 있어, 나도. 이럴 때가 제일 위험하다 이거지. 도련님만 똑바로 보고 있으면 되잖아, 똑바로."

"그래, 그것만 알고 있으면 됐어."

나 참, 누가 연상인지 모르겠다니까. 샤인은 엄격하디 엄격한 벨루아의 말에 혀를 내두르며 중얼거렸다.

그래서 그 중요한 에반 도련님은 지금 무엇을 하고 있는가 하면…….

"샤인, 루아, 이제 들어와도 돼. 사전작업 다 끝났어."

"네이."

마침 방 안으로부터 들려오는 에반의 말에 샤인과 벨루아는 시선을 한 번 교환하고는 방문을 열었다.

그러자 그곳에 잠옷 차림에 므이라슬의 목걸이, 설산정령 귀걸이, 가죽장갑 그리고 부츠까지 착용한 채로 침대에 누워 있는 에반의 모습이 있었다. 침대맡에는 난해한 표정을 짓고 있는 라이한도 있었다.

"도련님, 지금 제 생각을 솔직히 말해도 됩니까?"
"하지 마."
"되게 바보 같습니다."
"하지 말라니까."

에반은 샤인의 말에 입술을 삐죽이며 대꾸하고는 그들 또한 침대맡으로 불렀다. 라이한까지 셋이 나란히 선 채 에반을 내려다보고 있으니 지금부터 무슨 제물을 바치는 의식이라도 치를 것 같은 모습이었다.

"이제 세팅은 다 끝났네. 난 지금부터 잠들 테니까 보고 있다가 혹시 무슨 문제가 생기면 바로 날 깨워야 돼. 알았지?"
"이거…… 정말 하실 겁니까?"
"응. 해야 돼."

에반은 진지한 표정으로 고개를 끄덕였다.

"안 그래도 사태가 심각한데 할아버지한테 더 심란한 말을 들어버렸단 말이야. 이제 어지간한 일로는 마나가 떨어질 일도 없고, 체력도 충분히 찼고, 더 이상은 망설일 수 없어. 다음 프로젝트를 진행할 때야."

"아무리 그래도 스스로 불면증을 자처하는 사람은 처음 봅니다."

샤인은 어이없어하며 중얼거렸다.

"이젠 자면서까지 슬라임을 잡으시겠다니."

그렇다. 지금부터 에반이 하고자 하는 일의 핵심은 바로 '자면서도 슬라임 수련을 하는 것'이었다. 명명하길 불로장생 프로젝트 넘버세븐, 자면서도 자동 사냥…… 즉 '수면 수련'이었다!

"이미 모든 데이터는 모였어. 실험도 끝났고 검증도 완벽해! 그럼 이젠 하는 수밖에 없잖아!"

"공자님, 지금 밤입니다. 괜히 큰 소리를 내셔서 다른 사람이 이걸 보게 했다간 진짜 못 하게 될 겁니다."

라이한의 말에 에반은 간신히 진정해 몸을 움츠렸다. 샤인은 여전히 짜게 식은 표정이었지만 벨루아가 그런 샤인에게 조용히 보디 블로를 넣어 표정을 바꾸었다.

에반이 그녀에게 엄지를 세웠다.

"그러면…… 라이한 형."

"여기 있습니다. 일단 저주 중화는 됐지만…… 아니, 됐습니다. 분명 괜찮을 겁니다. 괜찮을 거라고 믿고 싶습니다."

라이한이 에반에게 건넨 것은, 방금 그의 입으로도 말했다시피 신성마법으로 중화시킨 저주…… 정확히는 잠을 자는 동안에도 일정한 행동을 반복하게 하는 몽유병 저주가 걸려 있는 나이트캡이었다.

원래 이 모자는 퀘스트의 보상이다. 잠을 설치지 않고 푹 자고 싶다는 의지가 투철하여 매일 나이트캡만 쓰고 다니는 중년 남성으로부터 받을 수 있는 퀘스트를 해결하면 그 보상으로 얻을 수 있었다.

그렇다. 당연하게도 함정 퀘스트였다. 남자의 부탁에 따라 백날 숙면에 좋다는 약을 가져다줘도 소용이 없다. 사제를 불러와도 안 된다. 그렇다면, 하고 반대로 흑마법사를 데려와도 물론 안 된다.

'그러다 뭘 해도 퀘스트가 안 깨지는 것에 빠친 플레이어가 주먹으로 그 남자를 후려쳤다가 나이트캡이 벗겨진 채 바닥에 쓰러진 남자가 그대로 잠에 빠지는 것을 보며 처음으로 퀘스트를 해결했었지…….'

콜럼버스의 달걀이 그러하듯, 해법을 발견하기 전엔 난공불락으로 여겨졌던 퀘스트를 클리어하는 방법은 실로 심플했던 것이다!

단 남자와의 친밀도에 따라 퀘스트 보상을 못 받을 가능성이 생기기 때문에, 최소한 처음 몇 번은 남자의 부탁을 듣고 움직여줘야 한다는 게 또 함정이었다. 무턱대고 남자한테 퀘스트를 받자마자 때려버리면 병사들한테 잡혀간다.

그러면 에반은? 에반은 돈을 주고 남자한테서 모자를 샀다. 세상에 돈이면 안 되는 일이 없는 것이다. 돈도 받고 불면증도 해결되었으니 남자 입장에서는 횡재겠지.

'하지만 정작 퀘스트의 보상인 이 나이트캡에는 저주밖에 없단 말씀이야.'

그래도 요마대전 3에 등장하는 나이트캡 아이템이 이것밖엔 없어서, 캐릭터를 꾸미는 용도로 제법 많은 플레이어가 퀘스트를 깨긴 했다. 물론 저주템인지라 한 번 착용하면 쉬이 벗을 수 없다. 정화를 거쳐야 했다.

"착탈은 자유로워졌습니다만 저주의 핵심은 그대로 남아있습니다. 전 공자님이 이걸 쓰고 제대로 주무실 수 있을지도 의문입니다."

"몽유병이 뭐예요. 자면서 움직이는 거잖아요. 그러니까 괜찮아요. 잘 수 있어요."

"어…… 그거 아닌 것 같은데……."

샤인이 다시 조심스레 반박하려 했지만 벨루아의 눈총을 받고 입을 다물었다.

사실은 에반도 이 나이트캡의 문제점을 알고 라이한의 신성마법과 연금술을 동원해 그 성질을 많이 개조했다. 이미 문제점을 많이 해결한 것이다.

그래서 지금은 굳이 말하자면 몽유병이 아닌 잠버릇 저주라고 하는 쪽이 더 맞았다.

"주기적으로 슬라임을 소환하며, 허벅지를 꿈틀거리는 동시에 주먹을 쥐어 슬라임에게 마격을 먹여 터트린다. ……이 일련의 동작을 반복하게 하는 능력이 지금 이 나이트캡에 있어. 정확히는 나와 므이라슬의 목걸이 그리고 나이트캡이 만나 일으키는 화학작용인 거지."

"뭔가 엄청 멋진 일인 것처럼 말씀하고 계십니다만."

"당연히 멋지지. 슬라임 수련이 끊이지 않는다는 건데."

에반은 이제 한 손에 슬라임을 무려 네 마리씩 불러내 한순간에 여덟 마리 슬라임을 잡는 작업을 반복하고 있었는데, 그럼에도 불구하고 므이라슬의 목걸이와 설산정령 귀걸이 덕에 마나 회복 속도가 마나 소모 속도보다 빨라 마나가 달지 않는 지경에 이르러 있었다.

던전에 들어갔다 나와 존재레벨이 오르면서, 그리고 므이라슬의 목걸이가 몇 번 더 성장하면서 확실히 회복 속도가 소모량을 웃돌게 된 것!

"이번 프로젝트가 성공하면 슬라임 수련 속도는 단박에 두 배 이상으로 증가하겠지. 근사해, 너무 근사한 일이야. 그렇게만 되면 이 험난한 세상에서도 어떻게든 살아갈 수 있을 것 같은 기분이 들어."

"이 이상 뭘 또 어떻게 강해지시겠다고…….."

에반은 어이가 없어 중얼거리는 샤인을 무시하며 자리에 누워 눈을 감았다. 두 주먹은 편히 늘어트렸다.

무척 괴상한 아이템들을 걸치고는 있었지만 그 자세가 워낙 진지해 일종의 기세가 느껴질 정도였다.

"……스으."

에반은 곧 잠들었다. 말은 각각 다르게 해도 에반을 걱정하는 마음만은 같은 세 사람은 그를 뚫어져라 바라보았다.

"……후훗."

벨루아의 경우 조금 사심이 담긴 것 같았지만, 두 남자는 거기까지는 신경 쓰지 않기로 했다.

"아."

그러던 중 문득 샤인이 감탄사를 발했다. 에반의 머리에 씌워진 나이트캡이 희미한 빛을 발하기 시작한 것이다.

검은 빛과 흰 빛이 각기 솟아나는가 싶더니 이윽고 한데 섞여 잿빛이 되었다. 그것이 발동 신호였다.

"……."
"……."

가장 먼저 움직인 것은 에반의 허벅지였다. 꿈틀…… 꿈틀…… 이내 거기에 박자를 맞추듯 그의 두 주먹이 강하게 쥐어졌다.

마지막 타자는 바로 므이라슬의 목걸이. 희미한 빛과 함께 그의 손아귀에 슬라임을 소환해냈다.

수년간 몸에 타이밍을 익혀왔기 때문일까, 에반의 주먹이

펴지는 순간 정확히 손바닥에 네 마리씩 슬라임이 나타나고, 그것들이 뭔가 행동을 하기도 전에 허벅지가 꿈틀하는 것과 거의 동시에 쥐어진 두 주먹이 슬라임들을 일제히 터트렸다.

성공한 것이다.

"깨어계신 것 아니지?"

"나이트캡이 빛을 발하고 있잖아. 확실히 주무시고 계신다는 뜻이야."

동작은 한 번으로 끝나지 않았다. 저주가 아직 몸에 익지 않았는지 몇 번 버벅이더니, 이내 깨어있을 때와 마찬가지 속도로 슬라임 수련을 하기 시작했다.

발작도 없었고, 지나치게 큰 움직임도 없었고, 도망치는 데 성공한 슬라임도 없었다. 평상시 슬라임 수련을 하던 때와 같이 슬라임이 단말마 한 번 내지르기 전에 사냥하는 작업을 반복하고 있어서, 만약 이불을 덮고 있으면 그냥 얌전히 자는 것처럼 보일 정도였다.

"진짜 대단하다, 대단해……."

"그래. 대단하신 분이다. 이걸 기어이 해내시는군."

샤인은 그저 기가 차서 그렇게 중얼거렸다면, 라이한은 진심으로 감동한 목소리를 내고 있었다. 샤인이 눈을 가늘게 뜨며 돌아보자 라이한은 고개를 절레절레 저으며 말했다.

"네가 이걸 어떻게 생각하고 있을지는 알고 있다만, 샤인. 이건 정말 굉장히 혁명적인 일이야. 저주에 걸린 아이템을 연금술과 신성마법의 힘을 동원해 약화시키고 그 세부 능력을 조정한다는 것, 이건 아티팩트를 만들어내는 것만큼이나 힘든 일이거든."

물론 라이한도 겉으로 보기에 에반의 행동이 썩 똑똑해 보이지 않는다는 것을 알고 있었지만, 적어도 이번 건에 한해서는 순수하게 감탄하고 있었다.
에반이 보인 열정에, 나아가 망상처럼 보이던 것을 실현해내는 그 능력에.

"더구나…… 모양새는 좀 그렇다만 결과만 놓고 보면 누구도 도련님을 무시하지 못할 거다. 이 꾸준한 수련이 지금의 도련님을 만든 거니까. 그런데 그걸 자면서도 행할 수 있도록 한 거야. 그 결과가 기대되지 않냐?"

"저도 그것 자체는 대단하다고는 생각하는데 말이죠……. 까놓고 말해서, 이걸 만들어낼 정도면 더 대단한 아티팩트를 개조해서 장착하는 게 낫지 않을까요? 도련님은 이렇게 매번 굳이 길을 어렵게 가는 느낌이 듭니다. 우리한테는 왕도를 강조하면서 말이지……."

그것 또한 너무나 지당한 지적이라 이번엔 라이한이 입을 다물어버리고 말았다.

에반이 자기 능력을 과소평가하고 있으며, 또한 그로 인해 다소 헛도는 경향이 있다는 건 그의 친인이라면 누구나가 아는 일이었다.

그러나 이에 반박하는 이가 있었으니 여태껏 그들의 말을 무시하고 에반만을 살피고 있던 벨루아였다.

"도련님은 언제나 최선만 하셔."
"넌 그렇게 말할 줄 알았어."
"아니, 실제로 최선만 행하셔. 우리가 이해하지 못할 뿐, 결과적으로는 언제나 그래왔어."

벨루아는 냉정한 목소리로 말을 이었다.

"마님께서 말씀해주셨어. 강해지는 데에는 내부를 키우는 방법과 외부를 보충하는 것 두 가지가 있지만, 후자는 언제나 모든 인간을 피폐하게 만들어왔다고. 그리고 지금 도련님이 걸치고 계신 물건은 모두 내부를 키우기 위한 방편이야."

그래서 나는 도련님이 옳다고 생각한다고, 벨루아가 단언했다. 샤인도 그 말에 부정할 도리가 없어 고개를 끄덕이고 말았다.

그런 시각에서만 본다면, 확실히 그들이 하는 수련도 결국 에반이 하고 있는 것과 비슷한 일들이었다.

"그러고 보면 정말 그렇구나. 공자님만큼 자기 자신을 단련하는 데 집중하는 분도 없을 거다. 우리도 더 노력해야겠어."
"물론 난 저 나이트캡은 안 쓸 거지만."

드림팀 3인방은 에반의 성공적인 '잠꼬대 수련'을 보며 그렇게 생각을 정리했다.

그렇게 생각하고 보니 여태까지는 살짝 바보처럼 보였던 에반이 자면서도 수련을 게을리하지 않는 노력가로 보이니 신기한 노릇이었다.

에반이 아티팩트에 집착하지 않는 것은 사실 그가 지금 주위에서 얻을 수 있는 아티팩트 정도로는 간에 기별도 느끼지 못하는 요마대전 독극물이기 때문이었지만, 안타깝게도 이들은 아직 그것을 모르고 있었다.

❊ ❊ ❊

수면 수련은 실로 성공적이었다. 비록 자면서 몸을 움직이는 것으로 인한 피로가 있기는 했지만, 어쨌든 수면 자체는 제대로 누릴 수 있었기 때문에 에반의 일상생활에 문제가 생기는 일은 없었다.

까놓고 말해 슬라임 수련에 쓰는 근육의 피로 정도로는 에반의 몸에 털끝만큼도 데미지가 남지 않았다.

그렇게 해서 수면 수련이 에반의 새로운 일상으로 자리 잡고도 아무런 문제 없이 사흘이 흘렀을 때, 비로소 거래소장이 에반을 찾아왔다. 신인족들을 데려온 것이다.

"에반 도련님, 이전 말씀드렸던 아이들을 데려왔습니다. 여자 쌍둥이 둘, 남자아이 한 명입니다."

무척 귀여운 여섯 살의 여자 쌍둥이, 비쩍 마른 여덟 살짜리 남자아이.

머리카락이야 전원이 검은색이지만 눈동자는 셋 다 무척 개성이 있었는데, 쌍둥이 쪽은 녹색과 보라색의 오드아이를 지니고 있었다. 그것도 거울로 마주 본 것처럼 둘의 눈동자 색이 반대였다.

반면 남자아이 쪽은 거의 황금색에 가깝게 보이는 노란 눈동자를 지니고 있었는데, 살짝 세로로 찢어진 노오란 눈이 형형하게 빛나고 있는 것이 꼭 뱀의 눈동자를 보는 것만 같았다.

"여자아이 쪽은 부모와 함께 왔습니다. 부모에게는 시내에 집을 얻어주었으니 정기적으로 만날 수 있도록 조치만 취한다면 별문제가 없…… 도련님? 혹시 이 아이들에게 무슨 문제라도?"

"……다 신인족이 맞네요. 정말 고생하셨습니다."

아이들을 본 에반이 그 자리에 가만히 굳어있는 것처럼 보이자 의아해진 거래소장이 그에게 물어왔다. 에반은 그에 고개를 젓곤 대꾸했다.

"다 너무 귀여운 아이들이라 놀랐을 뿐이에요. 그런 애들만 골라서 데려오는 건 아니죠? 신인족이다 싶으면 전부 데려와야 해요."
"……무, 물론입니다. 하지만 아마 당분간은 없을 것 같습니다. 실크라인 내외 정보력을 모조리 동원하여 뒤졌음에도 이 아이들을 간신히 찾아냈으니까요."

거래소장은 에반의 말에 명백히 동요했다. 에반은 대충 그 이유를 짐작할 수 있어 그저 쓴웃음을 지을 뿐이었다. 거래소장 정도면 포커페이스 기술이 발달한 줄 알았는데 그것도 아닌 모양이다.

"하긴, 신인족 아이를 둔 부모들은 숨어 사는 경우가 많으니까요. 잘못을 한 것도 아닌데 말이지."
"물론 앞으로도 열심히 찾아보겠습니다만, 지금까지처럼 아이들을 찾아오는 건 힘들 것 같습니다."
"지금까지만으로도 충분히 잘하셨어요. 하지만…… 그래,

앞으로도 잘 부탁합니다. 언제 어디서 무슨 일이 있을지 모르니까 최선을 다해주세요."

"물론입니다. 믿고 맡겨만 주신다면 언제까지고!"

거래소장은 깊이 고개를 숙여 보이곤 물러갔다. 에반은 그제야 세 아이들과 정면으로 마주 볼 수 있었다.

쌍둥이 쪽은 미약한 호의가 섞인 호기심 어린 눈으로 그를 바라보고 있는 반면 남자아이 쪽은 여전히 그를 빤히 바라보고 있었다. 자신을 탐색하며 경계하고 있는 것이리라 쉬이 예측할 수 있었다. 그도 당연한 일이다.

"그럼 자기소개 먼저 할까? 나는 에반이야. 에반 디 셰어든. 너희 이름은 뭐니?"

"란."

"린. 내 쪽이 언니야."

쌍둥이들은 즉각 대꾸했다. 언니, 린은 왼쪽 눈이 녹색이며 오른쪽 눈이 보라색이었고, 동생 란은 왼쪽 눈이 보라색이며 오른쪽 눈은 녹색이었다. 그것만 빼면 얼굴이 똑같이 생겨서 구분이 힘들 정도였다.

"오빠 잘생겼다."

"잘생겼어."

"너희도 참 예쁘다. 웃는 얼굴이 특히 예쁘네."

"응, 고마워."

"울 엄마두 그랬는데."

더욱이 둘 다 아직 얼굴에는 웃음기가 남아있었다. 신인족으로 태어나긴 했지만 여태까지는 그렇게까지 힘든 일을 겪지 않고 살아온 모양.

아마도 둘의 부모가 아이들이 부족함을 느끼지 못하게 하느라 무척 애를 많이 썼을 것이다. 정말 존경스러운 이들이 아닐 수 없었다.

"……."

한편 남자아이는 여전히 머뭇거리고 있었다. 린, 란과 성공적으로 인사를 마친 에반은 두 아이의 머리를 조심스레 쓸어 정리해주며 남자아이 쪽을 돌아보았다.

그리고 처음과 같은 목소리로 물었다.

"네 이름은 뭐니? 형한테 알려줄 수 있을까?"

"……진."

"진, 너도 린과 란처럼 한 글자 이름이구나. 네 눈처럼 멋진 이름이야."

"멋지지 않아."

무슨 말이라도 끌어내고 싶어 던져본 말인데 여태까진 움츠러들어 있기만 하던 진이 그 말에 갑자기 거세게 반응했다. 가뜩이나 큰 노란 눈을 더욱 크게 뜨며 그는 에반을 노려보았다.

"내 눈은 전혀 멋지지 않아!"

방이 떠나가라 크게 지르는 고함에 린과 란이 인상을 찌푸리며 손을 뻗어 서로의 귀를 막아주었다.

하지만 그것이 기쁨이든 분노든, 녀석이 반응을 한 순간 에반의 승리였다. 그는 씩 웃으며 말했다.

"그래? 내가 보기엔 멋진데. 전설 속 드래곤의 눈 같아서 무척 멋져."

"안 멋지…… 드래곤?"

에반의 말을 무조건 부정할 기세로 만만이었던 진이 반사적으로 반문했다.

노골적으로 선명했던 적의가 주춤하는 것이 보였다. 에반의 말이 자신을 비꼬려는 것인지, 진심인지 헷갈리게 된 것이리라. ……그는 그래 봐야 아직 여덟 살 아이인 것이다.

"그래, 드래곤. 드래곤에 대해 알고 있니?"

"엄청 거대한 괴물."

"흐, 드래곤은 단순한 괴물이 아냐. 고도의 지성을 지녔고, 실로 오만하며 그에 합당한 강함을 갖춘 지상 최강의 생명체지. 안타깝게도 지금은 전설로 남아있을 뿐인 존재지만 말이야."

"오만하고, 강한……."

원래 아이들한테는 용사 얘기 아니면 드래곤 얘기가 제일 잘 먹히는 법. 진의 자세가 대번에 어정쩡해졌다.

경계는 해야겠고, 얘기는 듣고 싶고. 반면 린과 란은 이미 눈을 반짝이며 에반의 말에 집중하고 있었다.

"고대의 인간들은 드래곤을 두려워하고, 그와 동시에 공경했다고 해. 드래곤은 그 누구도 넘볼 수 없는 절대적인 힘을 지니고 있었으니까, 감히 맞서 싸우는 것은 꿈도 꿀 수 없었거든. 그리고 싸워 이길 수 없는 상대라면? 복종할 수밖에 없지."

"……."

강함은 존재를 완전하게 만든다. 드래곤은 그렇게 완전한 존재였다. 물론 그렇기에 끝내 그들이 모두 죽은 것이기도 하지만…… 에반은 굳이 그런 부분까지 지금 말하지는 않기로 했다.

"그런 드래곤의 눈에는 특별한 힘이 있어. 누구보다도 멀리 누구보다도 정확하게 보는 눈인데, 동시에 만물의 본질을 꿰뚫어 보는 힘 또한 갖추고 있었다고 하지. 난 늘 그게 무척 멋지다고 생각했어. 아마 정원사 톰 아저씨도 그렇게 생각할 거야."

"톰 아저씨?"

"매일 화초로 드래곤을 만들고 있는 아저씨 있어. 나중에 소개해줄게. 그 아저씨가 이번 축제 때 거리에 장식할 거라고 기합을 넣어서 만들고 있는 드래곤이 있는데 진짜 멋지거든."

에반은 그렇게 말하곤 옅게 미소 지었다. 이성이든 동성이든 파괴력은 발군. 진의 창백한 얼굴에 드디어 핏기가 돌았다. 조금 부끄러워하는 것 같았다.

"그런데 진, 너 시력은 좋니?"

에반이 돌연 질문을 던졌다. 진은 대답을 해야 할지 말아야 할지 또 한참을 망설이다가, 이내 조금 작게, 하지만 또렷한 목소리로 답했다.

"멀리까지, 정확하게. ……그렇게, 보여요."

응, 그렇겠지. 알고 물어본 거거든. 더욱이 일단 존댓말을 해주게 되었다는 것이 기뻤다.

에반의 입가에 걸린 미소가 짙어졌다. 아주 조금이지만 진이 자신에게 마음을 열었다는 것을 알 수 있었다.

"역시, 넌 드래곤을 닮았구나."

"드래곤을…… 닮아……."

"나는, 나는?"

"나도! 나도 드래곤 닮았어?"

"어디 보자…… 너희는 토끼 같아. 토끼처럼 귀여워."

"에이이, 토끼는 약하잖아."

"난 토끼 좋은데."

"너희 토끼가 얼마나 센지 모르는구나. 들어봐, 진짜 센 토끼가 북방에 살고 있는데 그 녀석들은……."

다시 쌍둥이와 신나게 떠들기 시작하는 에반.

진은 그런 에반을 가만히 바라보고 있다가 문득 이렇게 말했다.

"난 그럼 드래곤이 될래요."

"하하, 그래. 그것도 좋겠네."

"드래곤이 되어서 누구보다 강해지면, 다들 날 괴롭히지 않을까요? 좋아해줄까요?"

에반은 거기엔 즉답하지 않았다. 섣불리 답해선 안 된다는 생각이 들었기 때문이다. 진은 불안함과 초조함으로 가득 찬 에반의 답을 기다렸다. 이내 에반의 입이 열렸다.

"물론 드래곤이 되면 좋겠지."

"그러면……."

"그래도 진, 굳이 드래곤이 되지 않아도 널 좋아해주는 사람이 있을 거야. 그것만 잊지 않는다면, 드래곤을 목표로 해도 좋아."

"하지만 지금은 누구도 날 좋아하지 않는데."

"난 널 좋아해. 드래곤을 닮은 네 눈이, 강함을 동경하는 네마음이, 포기하지 않고 살아가고자 하는 의지가 좋아."

에반의 진심을 담은 말에도 진은 미묘한 표정을 짓고 있을 뿐이었다. 에반은 실망하지 않았다. 오히려 당연한 일이라고 생각했다.

아마 지금 녀석의 머릿속은 드래곤으로 꽉 차 있을 것이다. 녀석에게 의지를 부여하고자 에반이 일부러 그렇게 만들었으니까.

"내 말을 지금 전부 받아들여달라는 건 아냐. 단지 언젠가 스스로 다시 한 번 생각할 여유가 생겼을 때, 그때 내가 했던 말을 떠올려줘. 그래줄 수 있을까?"

"……네."

"그래, 좋아. 착하다."

에반은 그제야 다시 미소를 지으며 진의 머리를 쓰다듬어주었다. 진은 조금 머뭇거렸으나, 이내 눈을 지그시 감고 그를 받아들였다.

아이의 경계심을 순식간에 녹여버리다니 다른 이들이 봤으면 경악했을 일이나 에반은 알고 있었다. 이 짓도 다 온화하고 잘생긴 얼굴이 받쳐줘야 쉽게 된다는 사실을.

'그나저나…… 이제 기대는 완전히 접고 있었는데.'

한없이 밝기만 한 쌍둥이, 한없이 어둡기만 한 금안의 남자아이. 어쩜 이리 훌륭하게 대조되나 싶은 아이들을 앞에 두고 에반은 그저 쓴웃음을 흘릴 뿐이었다.

'전부 비중 높은 캐릭터잖아, 얘네.'

디토와 에나, 멜슨 세 아이를 받으며 그쪽과 관련된 기대는 완전히 접어버리고 있었는데, 설마 이제 와서 요마대전 4의 레귤러를 셋이나 거두게 되다니 말이다.

물론 이 셋 다 주인공과 함께하는 신인족은 아니고, 굵직굵직한 중간보스로 나타나는 카리스마 악역이었다. 마왕군 사천왕 취급이라면 이해가 쉽겠지.

사실 요마대전 4에는 주인공과 한편이 되는 신인족보다는 주인공을 적대하는 신인족이 훨씬 많았다. 신인족치고 복잡한 사정이 없는 녀석이 없다 보니 오히려 그게 자연스러운 일이었다.

'쌍둥이 사제, 린과 란. 둘 다 행운의 여신을 따르는 사제가 되어 교단으로 위장한 흑마법사 집단의 꼭두각시로 이용되지. 다만 쌍둥이인 데다 같은 신을 믿기 때문인지, 서로의 신성력을 링크하는 능력이 있어 굉장히 위협적인 적으로 나왔어.'

린과 란은 워낙 디자인이 예쁘게 뽑힌 데다 능력도 특이하고 강력해 인기가 높은 악역이었는데, 둘이 쌍둥이라서 계속 붙어 다닌다는 점 또한 매력적인 요소였다.

특히 본편에서 둘의 최후가 무척 불행하면서도 짠한 여운을 남긴다는 점이 인기를 높였다. 실로 짓궂은 일이 아닐 수 없다.

'반면 진은…… 설마 내가 이 아이와 만날 수 있을 줄은 몰랐는데.'

요마대전 시리즈에는 언제나 인간을 배신하고 마족 쪽에 붙는 이들이 등장한다. 1부터 4까지 이어지는 유구한 전통이었다.

그리고 요마대전 4에 등장하는 배신자 중에서도 가장 강한 이가 바로 사안궁, 진이다. 순수한 강함으로 따지면 요마대전

3의 사일런트 나이트보다 약하겠지만, 상대하기 까다로운 것으로는 그에 결코 뒤지지 않는 강자였다.

'끔찍한 장거리 저격 능력을 갖고 있어서 조금만 방심하면 바로 주인공이 죽어버렸었어. 그렇다고 근접전에 약하냐 하면 그것도 아니었지. 속사까지는 아니어도 한 방 한 방 너무 아픈 화살들을 초근거리에서 쏘아대니까……'

그런데 그 진을 자신이 거두게 되다니. 물론 지금 진과 만났다고 해서 끝까지 진이 그의 편으로 남아있어 주리라는 보장은 없다. 이것만은 여태껏 에반이 거둔 다른 모든 아이들에게도 적용 가능한 얘기다.

하지만 적어도, 이 여리고 순진한 아이가 인간을 배신하고 싶어질 만큼 끔찍한 경험을 하지 않도록 보호해주는 것은 가능하리라.

그것만은 자신이 있었다. 앞으로는 결코 누구도 이 아이를 괴롭히지 못할 터였다. 진은 이제 에반의 것이었다. 누구도 손을 댈 수 없다.

"자, 그러면 씻고 일단 뭘 먹을까? 그다음에 친구들을 소개해줄게."

"친구들?"

"그래. 다 너희와 같은 아이들이야."

"와아."

"나와, 같은……?"

쌍둥이들은 그 말에 순수하게 기뻐하는 한편 진은 그 말의
뜻을 알아듣고 두 눈을 크게 떴다. 에반은 고개를 끄덕이곤 재
차 진의 머리를 쓰다듬어주며 말했다.

"분명 친해질 수 있을 거야."

"……."

진은 고개를 끄덕이는 듯, 마는 듯 어정쩡하게 고개를 숙였
다. 에반은 피식 웃고는 일어서며 방 밖에서 대기하고 있을 이
들을 향해 외쳤다.

"샤인, 루아! 애들하고 같이 목욕탕 가자!"

던전 기사단의 예비 단원이 세 명 늘어난 날이었다.

9월의 마지막 주, 이젠 정말 축제가 코앞으로 다가와 있었다.

다른 던전도시에서도 손님들이 오고, 자국, 타국의 귀족들
도 셰어든에서 6년 만에 열리는 축제를 기대하며 몰려들고 있

었으니 셰어든에 있는 숙박업체들은 전에 없던 호황을 누리고 있었다.

셰어든 후작가의 전원이 정신없이 움직이고 있었다. 후작은 물론이고 자그마한 이벤트 진행 하나를 맡은 후계자 에릭 디 셰어든도 무척 바빴다.

그런 가운데 차남인 에반에게는 해야 할 일이 아무것도 없었기 때문에 그는 언제나처럼 늘 하던 일에 매진했다.

슬라임 수련, 독 내성 수련, 저주 내성 수련까지야 항상 이루어지고 있는 것이고, 거기에 더해 격투술 수련, 투척 훈련, 신체 단련과 더불어 던전 기사단 훈련, 제왕학 수업, 연금술 수업까지.

……단지 평소부터 다른 이들보다 바쁠 뿐인 것은 아닐까, 하는 생각이 들었지만 이게 다 먹고 살자고 하는 짓이니 어쩔 수 없었다.

"앗, 에반 공자님! 벨루아 보고 혹시나 했는데 역시 계셨구나!"

그런데 평소처럼 기사단장과의 대련 이후 던전 기사단 멤버들과 함께 훈련을 마친 에반이 아이들과 함께 형제목욕탕에서 목욕을 마쳐 옷을 갈아입고 나오는 길.

"마침 잘 만났어요, 공자님한테 상담하고 싶은 게 있었는데!"

목욕탕 내부 휴게실에서 그를 발견하고 반색하는 이가 있었으니, 바로 대지교단 세어든 교구의 주교 보좌인 세르피나 벨라인이었다.

그녀는 한 손에는 맥주를 든 채, 다른 한 손에는 목욕탕 내에 멋대로 반입해 온 꼬치구이를 들고 있었다. 에반은 그녀의 손에 들린 꼬치와 맥주, 이어서 그녀의 배를 지그시 보며 물었다.

"당신의 허리둘레, 안녕하십니까?"
"아, 아직은 괜찮거든요! ……꼬치 드실래요?"
"잘 먹을게요."

에반은 세르피나가 내민 꼬치를 한 입 먹고는 샤인에게 주었다.

샤인도 그것을 한 입 먹고 폴에게 주었으나 도중에 나타난 마리가 그것을 빼앗아 먹었다. 마리는 샤인을 끔찍하게 따르는 아이였다.

"……애들이 되게 개성적이네요."
"어린애들을 매일 훈련이랍시고 가혹하게 굴리는데 그 외 시간이라도 좀 자유롭게 풀어줘야죠. 그래서 부탁이 뭔데요,

누나?"

"아, 다름이 아니라…… 이쪽으로 와보세요."

세르피나는 에반의 손을 잡아끌고 휴게실 구석으로 향했다. 신인족 아이들이 무척 궁금해하며 그 뒤를 쫄래쫄래 따라가려 했지만 라이한과 샤인이 한숨을 쉬며 아이들을 막았다.

"에반 공자님, 듣고 놀라지 마세요. 이번 축제 시즌에 글쎄, 셰어든에 전설이 올 예정이에요!"

"전설이라니 무슨, 세상을 구해낸 대영웅 레오 아르페타라도 오나요?"

"어……."

뭔 일인가 했더니. 에반이 심드렁하니 대꾸하자 세르피나는 말을 잃었다.

응, 그야 그렇겠지. 아무리 세상 사람들이 바보라도 레오 아르페타의 움직임조차 파악하지 못하는 일은 없을 것이다. 아마 아버지인 소라인 후작도 이에 대해 알고 있지 않을까, 에반은 짐작하고 있었다.

"아, 알고 계셨어요?"

"대충은요."

"……역시 나도 에반신교로 개종해야 되나."

"잠깐만. 나도? 나도? 메이벨이지? 메이벨이 지금 뭔 짓 하고 있는지 솔직히 불어요."

"후, 공자님이 이미 알고 계신다면 괜찮으려나요······."

세르피나는 에반의 질문은 자연스럽게 무시하고 넘어갔다. 그것으로 에반은 에반신교라는 사이비 종교를 만든 이가 메이벨이리라 확신했다. 주리를 틀리라!

"······그래서 그분이 오시는데 왜요?"

"물론 레오 아르페타 님이 대단한 분인 건 사실이지만, 그분이 오신다는 건 그만큼 위험한 일이 생길 수 있다는 거니까요. 대체 그분이 왜 이 시기에 다시 활동을 시작하셨는가, 던전도시에는 또 왜 오시는가. 지금 대지교단은 초비상이 걸려 있거든요."

"음."

에반은 세르피나의 말을 들으며 묵묵히 생각했다. 과연 대지교단은 정말로 마화족 변종에 관한 일을 모르는가, 그게 아니라면 단지 던전도시 교구까지는 지령이 떨어지지 않았을 뿐인가······ 어느 쪽이든 에반이 먼저 얘기를 꺼낼 일은 아니었다.

"그분도 그냥 축제를 즐기러 오시는 것 아닐까요? 아마 그럴 거예요."

"공자님, 뭐 알고 계신 거 있죠? 저한테 꼬치까지 받아 드셔놓고 이러실 거예요?"

"글쎄 전 아무것도 모른다니까요."

에반은 완고하게 시치미를 뗐다. 끝내 세르피나는 입술을 삐죽이며 물러나는 수밖에 없었다. 적어도 에반이 이 건에 대해 알고 있다는 사실이 위안이 되었다. 그라면 최소한의 대비는 해놓고 있을 테니까.

"그런데 누나, 레오 아르페타 님한테 신경 쓸 시간 있어요? 축제 때 라이한 형하고 데이트 약속은 잡았어요?"

"데이트!?"

그런 때 갑자기 치고 들어오는 에반의 말에 세르피나가 뾰족한 고함을 질렀다. 다른 아이들과 함께 있던 라이한마저 돌아볼 정도로 큰 목소리였다. 에반이 혀를 차며 고개를 저었다.

"바보."

"아, 아니, 너무 당황해서 그렇죠. 축제 기간이면 대지교단도 정신없이 바쁠 테고, 뭣보다 우린 아직 그런 관계도 아닌데……."

"그런 관계가 되고 싶으니까 더더욱 데이트를 해야지. 축제면 진짜 절호의 기횐데 이걸 그대로 놓칠 생각이에요?"

듣고 보니 정말 그렇다는 생각에 세르피나는 순순히 고개를 끄덕이고 말았다. 에반의 말이 청산유수처럼 이어졌다.

"이러다 또 하나 누나한테 선수 뺏겨요. 첫 댄스 파트너도 놓쳤는데 이번 데이트까지 놓치면 그냥 끝이야, 끝. 두 사람의 결혼식장에 초대되어서 쓸쓸하게 박수나 쳐주고 돌아오는 길에 눈물을 뚝뚝 떨구면서, 스트레스로 폭식과 폭음을 하게되고 결국 허리둘레와 피부의 안녕은 저 너머 천국으로……."
"그, 그만! 알겠어요, 이번엔 저도 용기를 낼 거예요!"

쓸데없이 리얼하고 무서운 예측에 세르피나가 몸서리를 쳤다. 그리곤 굳게 고개를 끄덕이며 라이한을 향해 돌아섰다. 그 기백 어린 시선에 라이한이 움찔할 정도였다.
에반은 그런 라이한에게 찡긋 윙크를 해주며 말했다.

"형, 세르피나 누나가 할 말 있다니까 잠깐 얘기하고 와요. 아, 그리고 축제 날은 형 전면휴가니까 그렇게 알고 있어요. 얘들아, 우린 먼저 가자."
"공자님!?"

에반은 당황하는 라이한을 버려두고 아이들과 먼저 귀갓길에 올랐다. 한나에게 조금 미안해지기는 했지만…… 사랑은 쟁취하는 것이니 아마 그녀도 나름의 대책을 준비하겠지!

❋ ❋ ❋

　바로 그다음 날이었다. 그날 수업은 밤으로 예정되어 있었는데 버나드가 에반을 두 시간 일찍 불렀다. 그에 에반은 날짜를 확인하고, 때가 되었음을 직감했다.

　"샤인, 나 떨고 있냐?"
　"아뇨, 전혀. 아까부터 계속 물어보시는데 진짜 하나도 안 떨리고 있으니까 걱정 마세요. 근데 대체 왜 그렇게 안절부절 못하십니까? 혹시 여자라도 만나러 가십니까?"
　"읏."

　샤인의 질문에 에반이 아닌 벨루아가 반응했다. 에반은 쓴웃음을 지으며 고개를 저었다.

　"차라리 여자면 편하겠다. 남자야, 남자. 그것도 무척 유명하고 위대한 남자."
　"혹시 그 남자 이름이 레오 아르페타입니까?"
　"그래."

　가끔은 눈치가 없다 싶다가도 이렇게 예리하게 물어오는 걸 보면 또 눈치가 없는 건 아니다. 에반이 히죽 웃으며 고개를 끄덕이자, 샤인은 어이가 없어 중얼거렸다.

"진짜 버나드 그 영감님은 뭐 하셨던 분이기에 대영웅이랑 선이 닿아있는 건지."

"다녀와서 조금씩 얘기해줄게. 나는 대영웅을 영접하기 전 마음의 준비를 조금 더 해야겠어."

"진짜 레오 아르페타라면 이해가 안 가는 것도 아닌데……."

"제가 모실까요, 도련님?"

"아니, 오늘은 우선 나 혼자 갈게."

과거 자신이 플레이했던 캐릭터와 실제로 조우하게 되다 니, 이 기묘한 기분은 그 누구도 이해할 수 없을 것이라고 에 반은 생각했다.

자신이야 게임이었으니 죽어도 리트라이하면 그만이었지 만, 레오 아르페타는 버나드 가르시아를 비롯한 다른 동료들 과 함께 실제로 무수한 죽음의 위기를 극복하고 끝내 대륙에 평화를 가져온 영웅.

이미 위대한 여행을 성공적으로 마친 그는 과연 어떤 모습 일까. 그의 곁에는 또 누가 서 있을까. 기대가 되지 않을 수가 없는 것이다.

"버나드으으으으으! 이게 얼마 만이냐아아아!"

그래서 더욱 의외였다.

"온 세상 사람이 다 알겠다. 밖에서 시끄럽게 소리 지르지 말고 안으로 들어오기나 해라, 이 망할 놈아. 그리고 꼬맹이, 너 이미 알고 있었구나?"

"당연하죠, 할아버지. 저분이 움직이시는데 후작가가 모를 리가 없잖아요."

"끙, 그도 그렇구나."

실제로 마주한 레오 아르페타의 모습을 보고, 에반은 그만 '어라, 그렇게까지 세 보이지는 않는데…….'라고 생각하고 말았던 것이다.

절대 60대로는 보이지 않는 버나드보다도 더욱더 젊어 보이는 얼굴에 떡 벌어진 어깨, 무척 '거대하다'는 인상을 주는 그 남자는 에반이 상상하던 영웅이 아닌, 나이에 비해 다소 과하게 건강해 보이는 미남 아저씨일 뿐이었다.

"어, 뭐야, 같이 있는 꼬맹이는 누구냐?"

"내 제자다."

에반은 버나드의 눈짓에 한 발짝만 앞으로 나서며 정중히 고개를 숙였다.

"에반 디 셰어든, 셰어든 후작가의 차남입니다. 잘 부탁드립니다, 레오 아르페타 님."

"셰어든!? 그러면 설마 예전에 그 침팬지 닮았던 꼬맹이 아들이냐? 이상하다, 그놈 아들이 이렇게 잘생길 리가 없는데, 자라면서 좀 잘생겨졌나? 아니, 무리야. 너 친아들 맞냐?"

"그런 얘기를 종종 듣곤 하지만 친아들 맞습니다."

레오 아르페타가 직설적이고 다소 무례한 성격이라는 것 정도는 이미 알고 있었으니 대수롭지 않게 넘기는 에반과는 달리 그 외의 인물들은 모두 제 머리를 붙잡았다.

그중에서도 버나드는 제 머리를 붙잡는 것으로 끝나지 않고 레오 아르페타의 머리통에 알밤을 몇 번이고 날렸다.

"이 화상아, 생각한 걸 그대로 입 밖에 내지 말라고 몇 번이나 말했냐, 몇 번을."

"욕한 것도 아닌데 뭐 어떠냐, 나 침팬지 좋아한다. 그런데 오히려 이놈은 너무 예쁘장해. 내 취향은 아니군."

"그것참 다행이구나. 제자를 빼앗길 일은 없게 됐으니."

반성하는 기색도 없는 레오의 발언에 버나드가 빈정거리며 대꾸했다. 그러나 레오는 그 말에 또 순수하게 감탄했다.

"그래, 그러고 보면 제자라고 했지? 하, 진짜 세월이 흐르면 사람도 변하는 법이구나. 주위에 사람 하나 안 만들던 네가 제자를 받고…… 가만, 혹시 이곳에 정착한 것도 이 녀석

탓이냐?"

"얘기가 기니 일단 앉아라, 앉아. 그리고…… 아리아, 일로 인도. 오랜만이오."

버나드는 열정으로 넘치는 레오를 안쪽으로 밀어내며 그의 뒤에 서 있던 두 명의 아름다운 여성에게 인사를 건넸다. 물론 그 두 명 또한 레오, 버나드와 함께 한때 세상을 구한 영웅들이었다.

"나 참, 헤어지는 순간까지도 이름 한 번 안 말해주더니 이제 와 태연히 처음 보는 얼굴로 나타나 반겨주는 건 또 뭐예요? ……아무튼 나도 당신과 다시 만나 너무나 반가워요, 데인. 아니지, 버나드."

"데인…… 정말 당신이군요."

특이하게도 은빛으로 반짝이는 머릿결에 홍색의 눈을 지닌 아리아는 많게 봐야 40대 초반 정도로 보이는 아름답고 우아한 품격을 지닌 이였으며, 짙은 녹색 눈동자와 옅은 연둣빛의 머리카락을 휘날리고 있는 일로인 쪽은 아예 20대로밖엔 보이지 않는 미녀였다.

다만 에반은 어째서 수십 년 전 영웅과 함께 활약했던 일로인이 저렇게 젊어 보이는 것인지는 이미 알고 있었다.

'그래도 역시 영웅은 영웅이구나. 히로인들 중 누구와 이어졌을까 엄청 궁금했었는데 설마 게임에도 없던 양손의 꽃 엔딩을 달성했을 줄은. 그것도 성녀 아리아와 엘프 일로인, 요마대전 2 최고 미녀들을 골라서……'

그렇다. 요마대전 2 최강의 궁수 캐릭터인 일로인은 바로 고대의 숲에 숨어 살아가고 있다는 신비종족, 숲요정 엘프였던 것이다.

안 그래도 문이 닫힌 것을 확인한 일로인이 후드를 벗고 제 귀를 드러내자 버나드가 경악하는 모습이 보였다.

"일로인 당신 엘프였소?"
"네, 그간 감춰서 미안해요. 하지만 당신도 끝까지 자신을 감췄으니, 이걸로 비긴 셈 쳐야겠군요. 그렇죠?"
"끙……!"

버나드에게 변명이 있을 리가 없다. 제 이마를 짚는 버나드를 보며 일로인은 실로 눈부시게 웃더니, 그에게 가만히 다가와 그의 손을 붙잡았다.

"다시 만나 기뻐요, 데인…… 버나드. 그동안 당신이 무척, 무척 보고 싶었습니다."
"음? 어…… 그래, 나도 다시 만나 무척 반갑소."

버나드는 '엘프들은 원래 친구들을 소중히 여기는가' 하고 고개를 갸웃하며 그렇게 대꾸할 뿐이었지만, 그 모습을 뒤에서 바라보는 레오와 아리아는 히죽히죽 웃고 있었다.

그것을 보며 에반 역시 자연스럽게 깨닫고 말았다.

'양손의 꽃이 아니었잖아!? 설마 세상에서 제일 연애 못하는 우리 버나드 할아버지한테 엘프가!?'

그 순간 에반은 깨달았다.

레귤러 캐릭터는 괜히 레귤러가 아니라는 사실을!

여러 의미로 충격적이었던 재회의 인사를 마치고, 영웅들은 모두 버나드가 이끄는 대로 테이블에 앉았다.

이 자리엔 시종이 없으니 자연스레 후작가 차남인 에반이 급사 노릇을 해야 했다.

"차 드세요."

"어머나, 고마워요. 귀하신 몸인데 이런 잡일을."

"인간의 귀족 중에도 이런 이가 있군요. 역시 셰어든 가문은 특이해요."

미리 준비해뒀던 쿠키를 내놓고, 전원에게는 독이 없는 차를 내준 에반은 자기 자리에 앉아 자신 몫의 독차를 마시며 후우, 만족스러운 한숨을 내쉬었다.

버나드는 늘 있던 일이었기에 대수롭지 않게 넘겼지만 다른 이들은 모두 움찔했다.

"야, 버나드, 애 독 먹는데?"
"독 내성 수련이다. ……내가 시킨 거 아니니까 그런 눈으로 보지 마라."
"독 내성 수련…… 그렇구나, 일부러 저렇게 독을 먹어서 수련한다는 발상도 가능하군요."
"그야 확실히 효과는 있겠지만 너무 가혹하지 않냐, 이거……."

게임 시스템을 모르는 이들은 이 '독을 미리 먹어둬서 나중에 중독될 것을 대비한다'는 발상 자체를 이해하기 힘들어하게 마련이다.
그러나 역시 전설의 영웅들은 뭐가 달라도 달랐다. 적어도 그 부분에 태클을 걸지는 않는 것이다!
에반이 흡족하게 웃자, 레오는 그의 머리를 거칠게 쓰다듬곤 버나드에게 고개를 돌리며 물었다.

"이 녀석을 안에 놔두고 있다는 건, 우리 얘기를 모두 들어도 되는 애라고 생각해도 되겠지?"
"아니, 듣기만 하는 게 아니라 내용에 따라서는 우릴 도와주기도 할 거다. 그래서 불렀다."

"허."

레오가 나지막이 감탄사를 흘리며 재차 에반을 살폈다.
그리고 이내 표정이 바뀌었다.

"뭐냐? 이 나이에 가질 수 있는 강함이 아닌데. 얘 인간 맞냐? 이건 마족이래도 못 믿겠는데?"
"나도 가끔씩 놀라긴 하지만 인간이 맞다. 에반, 네 수련 방식을 한 번만 보여줘라."
"그렇게 놀랄 수준이 아니라니까요…… 에휴."

에반은 영웅들의 시선이 쏠린 와중에 자신이 굳이 이런 짓까지 해야 하는가, 새삼스레 부끄러워하면서도 버나드가 시키는 대로 순순히 슬라임을 소환해서는 잡아 보였다. 일행은 그대로 굳어버렸다.

"아니…… 미친, 무슨 슬라임으로."
"어머나. 그런 아티팩트도 있었네요. 재주도 좋아라."

그 수련의 메커니즘을 이 자리에 있는 일행은 모두 단박에 이해할 수 있었다.
허구한 날 몬스터를 사냥해왔던 그들이기에, 인간이 몬스터를 사냥하는 것을 통해 미미하게나마 강해질 수 있다는 사실을 알고 있었던 것이다.

"방금 이거 그냥 슬라임 아니지? 아이스 슬라임 중에서도 강한 축에 드는 놈이었는데?"

"아무리 강화된 슬라임이라고 해도, 그걸 잡는 정도로 이렇게까지 성장할 수는 없을 텐데요."

"에반, 평상시 네가 하던 방식대로 한번 보여줘라. 이 녀석들 전부 뒤집어지게."

"아, 진짜."

부끄러워 죽겠네, 진짜! 왕년에 요마왕까지 잡았던 사람들 앞에서 고작 슬라임을 잡는 모습을 보여줘야 한다니 이게 고문이 아니면 무엇이 고문이란 말인가!

에반은 금방이라도 울 것처럼 울먹이면서도 평상시 하던 대로 한 손에 네 마리씩, 여덟 마리의 슬라임을 연속적으로 소환해서 쉴 새 없이 주먹을 쥐어 터트리는 수련 방식을 선보였다.

"뭣……."

"세상에……."

압도적인 효율, 효율의 그 너머 영역에 있는 기술, 아니, 기술을 넘어 예술이라고까지 부를 수 있는 현란한 연속 동작!

저렇게까지 해서 하는 게 고작 슬라임 사냥이라는 사실이

엄청나게 얼빠진 것처럼 느껴지기는 했지만, 냉정히 효율과 결과만을 생각해보면 놀라지 않을 수 없었다.

"정말 그것만으로 이렇게 강해지는 게 말이 될지도 모르겠네……."

"던전도 다녀온 놈이오. 5층까지 깔끔하게 클리어하고 나왔지."

"그야 이 정도 능력이면 5층이 문제가 아니라 30층까지도 아무 문제 없겠죠. 그런데 귀족가에서 어떻게 이런 아이가 나온 거죠? 셰어든 가문이 정말 뭐가 있긴 한가 봐요."

아리아는 그렇게 말하곤 어린 소녀처럼 순진하게 웃었다. 대단하다는 것을 알아도 여전히 웃기긴 웃긴 모양이었다.

에반은 양 볼을 두툼히 부풀리며 괜히 슬라임들한테 화풀이를 했다. 평소 하던 것과 다르지 않았다.

그런데 그의 모습을 묘한 눈으로 보던 일로인이 버나드에게 물었다.

"데인…… 아니, 버나드. 당신이 이걸 가르쳐준 건 아니죠?"

"나도 이 녀석 비밀을 알아차리기까지 한참 걸렸소. 애초에 나는 이런 발상이 가능한 인간이 아니라는 거 알잖소."

"그도 그런가요…… 음?"

납득하여 고개를 끄덕이던 일로인이 문득 에반의 얼굴에 시선을 고정했다. 아름다운 요정의 얼굴에 물음표가 떠오르는 것이 에반에게도 보였다.

그것은 마치 간밤에 잃어버린 지갑을 한 번도 가본 적 없는 술집의 카운터에서 발견한 주정뱅이 같은 표정이었다.

"으으음……?"
"저, 왜 그러세요?"
"당신은 정말로 셰어든 가문의 사람이 맞습니까?"
"아까도 말씀드렸다시피 맞습니다만……."
"으으으으음……."

일로인은 계속 고개를 갸웃거렸다.
전원이 그녀를 바라보자, 이내 그녀는 고개를 휘휘 저었다.

"아뇨, 제 착각이겠죠. 빤히 보아 미안합니다, 에반 디 셰어든. 우리 요정족은 처음 만나는 인간의 얼굴을 잘 구분하지 못해요. 그래서 헷갈린 것이니 용서해주었으면 합니다."
"괜찮아요. 평소에도 이런 일 많거든요."

평범한 사람이라면 마주 보는 것만으로도 긴장하고 말 압도적인 미모의 요정족을 눈앞에 두고도 태연한 표정으로 대꾸하는 에반. 주위에 워낙 예쁜 사람이 많다 보니 이젠 요정

족과 마주해도 아무렇지도 않았다.

그런데 이번엔 레오가 에반의 어깨에 손을 얹으며 말했다.

"야, 버나드. 얘 내 마음에 드는데."

"아깐 별로라지 않았냐. 그리고 내 제자니까 탐내지 마라."

"진짜 치사하네. 친구 좋다는 게 뭐냐, 공동 제자 한 명 두면 좋잖아?"

"검에 소질이 없는 녀석이다. 아무리 네가 만검의 왕이어도 녀석을 가르칠 구석이 없다는 말이다."

만검의 왕. 그것은 모든 종류의 검에 최상위 적성을 타고난 레오 아르페타에게 붙은 칭호다.

단검, 장검, 소드 브레이커, 레이피어에 츠바이헨더, 사람이 들고 휘두를 수 있을 것 같지 않은 어마무지한 크기의 그레이트 소드까지도 태연히 휘둘러대는 괴물인 그는 사실……그래, 만검술이라는 개사기 유니크 적성의 보유자였다.

'어떤 검이든 자유롭게 다루는 적성. 레이피어를 들고 수련해놓고 나중에 츠바이헨더를 들어도 숙련도 보정을 받게 되는 말도 안 되는 개사기 적성.'

그래서 처음 요마대전 2가 나왔을 때는, 그렇게나 적성을 중요한 요소로 설정해놓고 주인공만 이런 먼치킨으로 만들어났다며 사람들이 욕을 어마어마하게 퍼부어댔다.

그러나 정작 게임을 하게 되니 다른 캐릭터들은 상황에 따라 써먹을 수 없는 경우가 발생하는데, 주인공만 상황에 맞게 검을 바꿔 끼며 활약하는 모습을 보며 '과연 주인공이다', '여보, 아버님 댁에 레오 하나 놔드려야겠어요' 등등의 좋은 반응이 나왔다.

레오 아르페타는 주인공이다! 짱짱 멋지다! 만검술 최고였다!

"뭐, 검에 재능이 없어? 거짓말 치지 마, 이 녀석은 무술에 재능이 뛰어난 녀석이야. 난 이런 건 결코 잘못 보는 법이 없어."

"검에 재능이 없다고 했지 무술에 재능이 없다고 하진 않았다. 이 녀석은 격투술의 천재야."

"격투?"

"천재 아니라고요. 기사단장이 오버하는 거라니까!?"

레오의 적성에 대해 생각하던 에반은 갑자기 또 자신에게로 불똥이 튀는 것에 질겁해 대꾸했다.

반면 레오는 격투라는 말에 귀가 쫑긋해지더니 곧 자리에서 일어섰다. 에반은 그 일련의 흐름에 굉장한 불안감을 느꼈다.

"버나드 할아버지, 저 갑자기 급하게 배가 아파져서 가볼게요."

"늦었다. 포기해라, 꼬맹아."

"좋아, 그럼 일단 한판 붙어보자고!"

"할아버지가 그런 말을 하니까!"

에반은 잽싸게 튀려고 했으나 전설을 상대로 도주는 허락되지 않았다. 레오는 순식간에 에반의 목덜미를 잡고 들어 올리며 껄껄 웃었다. 그의 빠른 움직임을 보고 벌써 기대가 되기 시작한 것이다.

"버나드의 제자라면 연금술을 배우고 있을 텐데, 거기에 격투술까지. 재밌어, 진짜 엄청 재밌는데. 난 벌써부터 네가 여기 정착한 이유가 이해 가기 시작했다."

"두고 보면 더 재밌을 거다."

"아, 진짜 싫다……."

레오 아르페타를 실제로 만날 수 있게 되어 두근거렸던 마음은 이미 사라지고 없었다. 설마 그 전설과 자신이 대련을 하게 될 줄은 몰랐으니까!

이거야 드래곤과 강아지가 싸우는 꼴이 아니던가. 물론 죽는 일까지는 없으리라고 믿고 싶었지만…….

만약 자신이 죽게 된다면 버나드에게 노년 탈모가 찾아와 거기에 정이 떨어진 엘프가 떠나가게 되기를 빌겠다고 에반은 다짐했다.

"여기가 좋겠군."

일단 숙소를 빠져나온 그들은 곧 적당히 넓은 근처 공터에 도착했다.

원래는 제법 많은 사람들이 있었지만, 어디서 나타났는지 후작가 병사들이 금방 통제를 시작해 사람들을 물리곤 레오에게 정중히 고개를 숙여 인사하며 물러났다.

"와, 이 사람들 눈치 한번 기가 막히네."

"그렇게 시끌벅적하게 움직였으니 당연히 들키지, 이 망할 녀석아."

버나드는 레오에게 그렇게 대꾸하며 짙은 한숨을 내쉬었다. 생각이 있는 놈이라면 자신을 찾아올 때 정도는 철저히 변장하고 오리라 믿었지만 이놈을 상대로 애초에 그런 기대는 하면 안 되는 것이었다.

'부디 귀찮은 일이 생기지 않으면 좋으련만⋯⋯.'

무리겠지. 아마 무리일 것이다. 버나드는 괜히 성질이 나 생각 없이 웃고 있는 레오의 엉덩이를 걷어찼다. 레오는 뭐가 좋은지 맞고도 실실 웃고 있었다.

"그럼 꼬맹아, 붙어보자!"

"레오 아르페타 님, 저는……."

"그냥 레오 할아버지라고 해라."

대영웅 레오 아르페타에게 붙이기에는 지나치게 친근한 호칭이었지만 이미 버나드도 그렇게 부르고 있었으니 새삼스러운 일은 아니었다.

"레오 할아버지, 저는 진짜 엄청 약한데요. 엄청나게 실망하실 텐데."

"나랑 비교하면 그야 누구든 엄청 약하지. 내가 보려는 건 네 지금의 힘이 아니라 자질과 의지니까 그런 건 신경 쓰지 말고 전력을 다해 덤비면 된다. 나머진 내가 다 알아서 하지."

레오는 지극히 오만하게 말했으나, 그에 대해 알고 있는 이들은 모두 납득할 수밖에 없을 것이다.

이미 60을 넘어 70을 향해 가는 나이였음에도 그의 근육은 여전히 팽팽하게 부풀어 있었고, 육신에서는 노쇠의 흔적을 찾아볼 수 없었다.

꾸준한 육체적 단련에 더불어 드높은 존재레벨, 그리고 던전레벨이 조화를 이루었기에 가능한 일이었다.

"꼬맹아, 전력으로 해라. 레오 놈은 이렇게 보여도 몸 움직이는 거 하나로는 누구한테도 지지 않는 놈이다."

"저도 알고 있거든요. 전 대륙이 알고 있거든요!"

에반은 자신을 끝내 사지로 몰아넣은 스승에게 입술을 삐죽이며 대꾸하곤, 레오에게서 물러나 간격을 벌리며 격투술…… 아니, 천중의 기본자세를 취했다.

'아무리 날 봐준다고 해도 한 대 잘못 맞으면 최소 중상이야. ……정신 똑바로 차려야 한다. 어떻게든 피한다, 일단 피한다! 맞아도 머리랑 심장만은 어떻게든 피해서 맞는다!'

에반의 눈빛이 진지하게 바뀌자, 그것을 마주 보는 레오의 입가에 슬금슬금 미소가 떠올랐다.

"이 녀석…… 자질이 있는 정도가 아니라 이미 터무니없이 강하잖아? 내가 이럴 줄 알아봤다니까."

"하지만 그놈은 정말로 지가 약한 줄 안다."

"이 녀석이 약하다면 요마왕도 제 입으로 강하다는 말은 못 하고 다니겠는데!"

레오가 허리춤의 장검 하나를 빼 들어 쥐며 웃음을 터트리는가 싶더니, 그대로 에반을 향해 일직선으로 돌진했다.

버나드조차 순간 그의 움직임을 놓칠 만큼 빠른 돌진이었으나 에반은 그것을 가까스로 캐치했다. 그의 검이 자신의 어딜 노리는지도 선명히 확인할 수 있었다.

'역시 봐주는구나. 다행이다.'

에반 또한 강하게 앞발을 내디디며 전신의 마나를 끌어올렸다. 주위 공기가 묵직하게 가라앉았다. 이 일대는 이제 천중의 영역이다!

"좋아, 그럼 어디 한번 시원하게 붙어보자!"
"부디 살살 부탁드립니다……!"

에반이 내지른 두 주먹이 허공에서 진동을 일으킨 순간.
던전도시에 강림한 전설과 소년의 의지가 충돌하며 화려한 폭음을 터트렸다.
요마대전 2의 주인공, 만검의 왕 레오 아르페타는 드는 검에 따라 전투 방식이 바뀌는데, 장검 하나를 들었을 땐 상대의 약점을 정확히 노려 가하는 베기 공격을 중심으로 밸런스 잡힌 움직임을 보였다.
그리고 그것은 다행히 현실에서도 마찬가지였다.

'공격과 방어의 밸런스, 속도와 정확성, 위력의 밸런스가 실로 절묘하게 잡힌…… 자세한 특징을 모르는 상대와 만났을

때 일단 쥐어 상대를 시험하기에 적합한 검.'

어느 쪽으로도 특별히 두드러지는 점이 없지만, 그렇기 때문에 뾰족하게 드러나는 단점 또한 없다. 틈 하나 잡을 수 없는 정석적인 검의 극한을 추구한다고 볼 수 있었다.

그리고 사실, 두드러지지 않는다고는 했지만 그의 검은 에반에게 있어서는 너무 빠르고 너무 강하고 너무 섬뜩하게 정확했다. 에반의 능력이 조금만 떨어졌어도 금세 그의 몸에 상처가 났을 것이다.

"잘 피하는구나! 그럼 조금만 더 빠르게 해볼까?"
"훗…… 으익!"

레오는 쉴 새 없이 검을 휘두르면서도 여유롭게 그런 말을 하고 있었지만 에반은 그의 공격이 날아들 때마다 숨넘어가는 소리를 내며 정신없이 몸을 움직였다.

그나마 레오의 살벌한 기세를 정면으로 받아내면서도 스텝이 꼬이는 일 없이 안정적으로 움직인다는 점에 스스로 칭찬을 하고 싶었는데, 그것은 사실 에반의 생각보다도 더욱 대단한 일이었다.

'이놈 봐라?'

처음엔 어디까지나 에반을 시험해볼 요량으로 가볍게 검을 휘두르고 있던 레오는 점점 표정이 들떴다.

그는 사실 에반이 검을 한 번 피해내거나 막거나 할 때마다 서서히 공격의 속도를 올리며, 점점 더 에반이 대응하기 어려운 공격을 하고 있었다.

그런데 에반이 죽는 소리를 내면서도 곧잘 그것을 피해내고 있는 것이다!

'대체 슬라임을 얼마나 잡아댔으면 이 어린 나이에 이 정도로 성장할 수 있지? 아니, 단순히 빠르다고 보일 수 있는 움직임도 아냐. 동체시력, 반응속도, 그 두 가지를 조화시키는 감각…… . 더구나 주위를 장악하는 이 무게감은 저 주먹에서부터 나오는 것 같은데 기술의 원천이 뭔지 짐작도 안 가네. 뭐야, 대체 어디서 이렇게 재밌는 놈이 튀어나왔어?'

그런 한중간, 레오 아르페타는 너무 들뜬 나머지 그만 진심을 담아 검을 내지르고 말았다. 자신이 내지르고도 엇, 기함할 정도로 날카로운 일격이었다.

"흡……!"

그러나 놀라운 것은 그에 대응하는 에반의 모습이었다.

영락없이 깊은 상처를 입히게 될 줄 알았는데, 레오의 검이 날아드는 순간 그의 보랏빛 눈이 찬란하게 빛나는가 싶더니 그의 몸이 기이한 방향으로 비틀어지며, 동시에 주먹으로부터 무형의 기운을 뿜어내 레오의 손목을 가격, 검의 궤도를 비튼 것이다.

"후우……!"
"허어."

결국 레오의 검은 에반의 머리 위를 아슬아슬하게 스치고 지나갔다.

허공에 흩날리는 몇 가닥인가의 머리카락, 그것에 취한 레오의 옆구리에 에반의 정타가 들어왔다. 물론 얻어맞기 전에 피했지만 무척 예리한 일격이었다.

"전의는 충분해 보이는구만. 계속 간다!"
"아니, 계속 오지 마세요!"

에반은 거절했지만 용사는 원래 남의 말을 듣지 않는다! 방금 에반이 보인 몸놀림에 반해버린 레오는 공격 속도를 기어이 한 단계 높여 본격적으로 에반을 밀어붙였다.

그러나 그에 에반도 어떻게든 대응하고 있으니 놀랄 일이었다.

"모르긴 몰라도, 저거 많이 위험한 거 아니오?"

"후후, 레오가 신이 많이 났나 봐요. 저 정도로 움직이는 건 저도 오랜만에 보는데."

레오가 휘두르는 검의 그림자조차 찾기 힘들 지경이 되자 슬슬 걱정이 된 버나드가 아리아에게 물었으나 그녀는 남편이 신나서 노는 모습이 마냥 흐뭇한지 웃고 있을 뿐이었다.

부부 금슬이 좋은 건 기쁜 일이지만 지금 상황에는 전혀 도움이 되지 않는다. 버나드는 썩은 표정으로 이번엔 일로인을 바라보았다. 일로인은 둘의 대련에 깊이 집중해 있었다.

"주먹……. 마력으로 대기를 흔들어 움직임을 보조하고 있어. 속성? 아니. 어디까지나 무술의 영역에서 이룬 힘이구나. 던전에서 탄생하는 고유의 힘, 신이 제시하며 인간만이 성취할 수 있는 힘……. 굉장해, 어떻게 저 나이에……."

"음."

이쪽도 전혀 도움이 되지 않는군. 버나드는 새삼 자신의 전 동료들에게 회의감이 들었다. 하긴, 이렇게 나사가 반쯤 빠진 녀석들이니까 그 끔찍한 시절을 버텨낼 수 있었던 것이겠지.

하지만 지금은 내 제자가 죽게 생겼다니까!

"더 빠르게 가자. 더 빠르게!"

"진짜 죽어요!"

에반은 엄살을 부리면서도 레오의 빨라지는 검에 맞춰 자신의 움직임을 이끌었다.

천중이 갖는 마나 지배력, 무게의 힘을 어떻게든 이용해 레오의 검에 무게를 실어 속도를 느리게 하거나, 자신의 몸을 마나의 힘으로 떠밀어 억지로 검을 피하는 등 일반적인 격투술이 아닌 천중이기에 나올 수 있는 다양한 움직임!

"어쿠!"
"칫!"

심지어 전투를 즐기고 있는 레오에게서 빈틈을 발견해 심심치 않게 주먹을 직접 찔러오기까지 하니 레오 입장에서는 이렇게 즐거운 대련이 또 있을 수가 없었다.

나중에 이 녀석이 어디까지 성장할지를 생각하면 조금 섬뜩했지만, 지금 당장은 그도 대련을 즐길 뿐이었다.

"흐으읍……!"
"하, 이 녀석 체력도 어마어마하네. 근성도 충분해, 아주 좋아! 부족한 게 없어!"

1분도 안 되어 끝날 것 같았던 대련은 어느덧 5분을 넘고,

10분을 넘도록 지속되었다. 레오 같은 초강자를 상대로 체력의 한계 이상을 끌어내서 싸우고 있음에도!

"진짜 무리예요, 이제!"

"아니, 내가 보기에 넌 엄살을 부리고 있는 동안은 아직 괜찮아!"

"헛, 벌써 에반에 대해 거기까지 깨닫다니!?"

"당신들 다 미워!"

그러나 할아버지들의 판단은 정확했다. 에반은 그로부터 무려 7분이나 더 레오를 버텨낸 것이다.

심지어 그사이 레오가 한 단계 더 기어를 높였음에도 에반은 어떻게든 그의 공격을 한 번도 정통으로 맞지 않았다!

"허, 이것 봐라."

오히려 마지막 순간, 에반이 뻗어낸 왼 주먹에서 무형의 기운이 칼날처럼 날카롭게 뻗어나 레오의 목 언저리를 훑기까지 했다.

레오의 기본 방어력이 워낙에 높아 상처는 전혀 남지 않았지만, 유효타 숫자로만 따지면 에반이 판정승을 거둔 셈이었다.

보다 정확히는, 에반에게 한 방 먹은 레오가 씩 웃으며 보다 빠르게 검을 뻗으려는 그 순간 버나드가 버럭 소리를 질러 그를 멈추었다.

"거기까지다! 레오, 너 내 제자를 진짜로 죽일 셈이냐!"
"어, 미안타. 예리한 공격을 당하고 나니 그만 본능적으로……."
"흐으아아아!"

버나드가 난입해 시합 종료를 선언하자마자 에반은 그대로 그 자리에 엎어졌다. 전투가 끝나고 나니 무지막지한 피로감이 밀려왔다. 손가락 하나 까딱할 수가 없었다.

"주, 죽는다. 진짜 죽는다. 내 심장 터진다."
"그래도 싸우길 잘했지? 너 방금 나랑 싸우면서 분명히 실시간으로 실력이 늘었다. 그것도 빠르게."
"그야, 레오 할아버지 같은 강자랑 싸우는데 당연히 실력이 늘어야죠……."

무기술을 비롯한 모든 스킬은 보다 강한 사람으로부터 배울수록 빠르게 성장한다. 그리고 보다 강한 사람과 싸울수록 빠르게 성장하기도 했다.
비록 대련의 형식을 취했다지만 방금 에반은 세상에서 제일 강한 사람과 17분씩이나 전투를 치렀다. 그런데 스킬이 성장하지 않는 것이 이상한 것이다.

모르긴 몰라도 족히 2레벨은 오르지 않았을까? 에반은 여전히 그 자리에 엎어진 채 그런 생각을 했다.

'어, 잠깐만. 그러면 지금 목욕탕에 들어가면 이 수련 효과를 더 제대로 적용받을 수 있는 거 아냐?'

그런 생각이 들자 에반은 전신의 통증도 잊고 몸을 벌떡 일으켰다. 억지로 싸우게 된 것도 억울해 죽겠는데 이렇게 된 이상 뽕은 제대로 뽑아야 할 것이 아닌가!

"할아버지, 그럼 저 목욕탕 다녀올게요. 세 분 먼저 얘기들 나누고 계세요."
"목욕탕?"
"형제목욕탕이라고 이놈하고 내가 같이 만든 거 있다. 네놈도 알잖냐, 온천마을 스티마. 그 온천보다 좋은 물이다. 장담하지."

스티마 온천보다 좋은 물이라는 말에 레오의 눈이 반짝였다.

"얼씨구, 그런 건 또 어떻게 만든 거냐? 아니, 설명하지 마라. 해줘도 모르니까. 어쨌든 좋아, 그럼 다 같이 가자고!"
"흠, 그럴까? 하긴, 여행으로 피로가 쌓였을 텐데 일단 탕에 들어갔다 나와서 얘기하지."

"모르는 사이에 셰어든이 정말 살기 좋아졌네요, 그런 시설도 생기고! 일로인, 같이 갈 거죠?"

"네, 기꺼이."

아니, 같이 가자는 얘기는 아녔는데. 에반의 표정이 삽시간에 딱딱하게 굳었으나 일행은 이미 목욕탕에 갈 마음을 굳힌 것으로 보였다.

결국 그는 체념하며 그들과 함께 형제목욕탕으로 향하는 수밖에 없었다. 그들이 목욕탕에 간다는 소식이 불과 몇 분 만에 던전도시의 주민들에게 퍼져 그들의 발자취를 쫓게 했으나…….

다행히도 후작가의 병사들과 기사들까지 나서서 차단해준 덕에 그들은 한적하게 목욕을 즐길 수 있었다.

❀ ❀ ❀

"좋아, 그러면 이제 얘기를 시작해볼까."

"뭔 얘기. 우리 제자 얘기?"

"은근슬쩍 에반을 네 제자 삼을 생각 마라, 이놈아. 검술도 못 배우는 애한테 무슨."

형제목욕탕 물에 모든 피로와 통증을 깔끔하게 녹여내고 돌아온 일행은 한결 깨끗해진 모습으로 테이블에 둘러앉았다.

그러고 보면 대체 왜 이렇게 모였었지, 하는 생각이 들 만큼 길을 빙 돌아오긴 했지만 분명 그들이 모인 원인은……

"마화족 변종 말이다, 마화족 변종. 나한테 그 얘기 하자고 여기 이곳까지 온 게 아니냔 말이다, 이 화상아."

"아, 그러고 보니까 그랬지. 에반이 너무 충격적인 놈이라 잠시 잊고 있었어."

"그건 나도 납득한다만……"

"납득하지 말라니까요."

상황이 이 지경에 이르렀음에도 여전히 에반은 '나 약해요' 설을 주장하고 있었다.

그리고 실은 그가 그렇게 믿고 있는 이유가 있었다. 아마 레오는 눈치를 채지 못했고, 버나드도 잊어먹고 있는 모양이지만……

'아까 분명히 부츠를 신고 대련했는데. 레오 할아버지가 정말 어지간히도 봐주셨다는 뜻이지.'

그렇다. 에반은 혹시나 레오가 검을 잘못 놀려 자신이 죽게 될까 무서워 전투 와중에도 부츠를 벗지 않고 있었다.

스테이터스는 절반으로 떨어지겠지만 그래도 전신 방어력이 추가되어 죽지는 않게 될 테니까!

그러니까 다시 말하자면 방금 대련은 결코 에반의 전력이 아니었던 것이다. 그런데도 레오는 저렇게 감탄을 하고 있으니 우습지 않을 수 있겠는가!

'버나드 할아버지가 워낙 날 자랑하니까 레오 할아버지도 거기 맞춰준 거야. ⋯⋯아니면 전성기가 많이 지나서 레오 할아버지 기량이 좀 떨어졌던가.'

실제로 그와 싸워보니, 물론 레오가 에반에게 맞추어 일부러 천천히 움직이기는 했겠지만, 그래도 요마왕을 쓰러트린 최강자치고는 움직임이 조금 느리지 않았나, 하는 생각이 들었다.

하지만 그도 어쩔 수 없다. 레오도 나이를 먹었을 테니까. 70이 가까운 나이에 이 정도로 강한 것만도 얼마나 대단한 일인가?

에반은 그렇게 혼자서 납득하며 고개를 끄덕였다.

"앞으로는 나도 수련을 더 열심히 해야겠어. 새로 생긴 제자한테 금방 뒤처지지 않으려면."

반면 레오는 에반이 이런 건방진 생각을 하고 있는 줄은 꿈에도 모르고 희희낙락하여 그런 말을 했다. 버나드가 어이없어하며 대꾸했다.

"글쎄 네 제자가 아니라니까."

"직접 싸워보니까 에반한테 가르칠 수 있겠다 싶은 부분이 많이 보였다. 검술의 묘리를 격투술에 적용할 수도 있을 테고, 몸놀림이나 전투의 요령을 가르칠 수도 있겠지. 아무튼 에반에게는 좋은 일이니 너무 그렇게 싫어하지 마라. 던전도시에 머무르는 동안만이라도 확실히 가르쳐놓을 테니까."

"……끙, 그럼 맘대로 해라. 허락을 안 하면 얘기가 시작이 되질 않겠구만."

"크흐, 물론이지."

과연 뚝심 있는 주인공답게 기어이 에반의 스승 자리를 얻어내고야 마는 레오.

그 사이에 낀 에반은 '응?' 하고 고개를 갸웃하고 있었으나 이미 상황은 루비콘 강을 건너가고 있었다.

"그래, 그럼 이제 마화족 변종 얘기 해야지. 중요한 일이니까. ……크흠."

레오가 헛기침을 하며 애써 진중한 표정을 지었다. 이미 너무 늦어버린 감이 있었지만 그 입에서 흘러나오는 말 만큼은 충분히 충격적이었다.

"놈들이 던전을 노리기 시작했다, 버나드. 만약 마화족의 꽃이 던전 안에서 본격적으로 피어나게 된다면…… 그땐 진짜 이것저것 다 끝장이야."

에반의 귓가로, 새로운 사망 신호의 발걸음 소리가 들려오고 있었다.

마화족은 원래 씨앗 상태로는 던전에 침투하지 못했으며, 던전 내부에 뿌리를 내리지도 못했다. 물론 던전 내부의 몬스터를 침식하는 것 또한 불가능했다.

자세히 파고 들어가면 여러 귀찮은 사정이 있지만, 간단하게 말하면 그들은 관할, 파벌이 다른 세력이었다. 같은 요마왕을 섬긴다고 다 짝짜꿍할 수 있는 존재가 아닌 것이다.

"그런데 그 마화족이 던전을 침식할 수 있게 될지도 모른다고요……?"

"얘 뭔데 마화족까지 잘 알고 있냐? 네가 얘기해줬냐?"

에반이 경악하여 중얼거리는 말에 오히려 레오가 더욱 놀랐다. 그러나 이미 이런 일에는 익숙한 버나드가 아득한 표정을 지으며 말했다.

"레오, 한 가지 충고해두마. 이 녀석은 그냥 원래 그런 녀석이라고 이해하는 게 편하다. 우리가 보지 못하는 걸 보는 능력이 있다고도 할 수 있지."

"그러냐, 알겠다. 내 제자지만 정말 대단한데."

"누가 들으면 네놈이 여태 에반을 혼자 키운 줄 알겠구나?"

레오는 버나드의 빈정거림을 무시하며 말을 이었다.

"어쨌든, 그래. 그거다. 처음엔 마화족에게 침식된 몬스터가 던전에 들어간 줄 알았다. 그런데 생각해보면, 버나드, 원래 마화족에게 침식된 몬스터는 던전에서 약화되잖냐. 이놈은 그게 아니었단 말이다. 더구나 결정적으로 죽으면서 씨앗을 퍼트려 다른 몬스터들을 순식간에 침식하기까지 했어. 현장에서 그걸 발견해버렸다고."

"……재앙이군."

"물론 그 던전은 초소형 던전이기도 했을뿐더러 우리가 깔끔하게 정리하기도 했다. 하지만 만약 마화족이 이 기세를 타고 계속해서 증가한다면, 언젠가 그 여파가 던전도시의 초대형 던전에까지 미친다면?"

"생각도 하기 싫다."

마화족에게 침식되기 이전의 몬스터와 침식된 몬스터는 근본적으로 다르다. 마족이 되어버리는 것이다. 놈들은 보다 지독하고, 보다 악랄하다.

그런데 그런 마화족이 던전을 통째로 차지하게 된다면? 신들이 기껏 던전에 간섭하여 구축한 질서를 어그러트리고 그

안을 난장판으로 만들어놓는다면?

그땐 진정으로 인류의 위기가 닥쳐올 것이다. 지금 인류가 힘을 기르고 있는 주 장소가 던전도시인데 그곳이 지옥으로 변모하는 셈이니까!

그건 미래 인류의 성장 가능성마저 박탈당하는 꼴이다. 차라리 요마왕이 나타나는 쪽이 나았다.

'어째서지? 마화족은 결코 던전 내부를 침범하지 못하도록 되어 있을 텐데. 변종이라는 게 그것마저 무시할 수 있단 말이야? 그건 마계의 법칙을 무시하고 움직이겠다는 뜻이고…… 즉 놈들 사이에 내부 분열이 일어났다는 얘긴데.'

이걸 어떻게 이용할 수 있을까…… 아니, 무리겠지. 어쨌든 놈들이 인류를 증오한다는 사실만은 여전하니까. 에반은 지끈거리는 관자놀이를 꾹 누르며 레오에게 물었다.

"레오 할아버지, 이건 다들 알아요? 그러니까…… 알아야 될 사람들이 이걸 다 알고 있나요?"

"각국 지도층에만 우선적으로 알리고 있다만, 다들 믿기 싫어하던데. 더욱이 마화족을 사냥하는 일이라면 군사를 파병하면 될 일이지만 던전의 감염을 막는다는 건 사실 그들에게도 뾰족한 수가 없어 보이더구만."

"에라이."

그야 그렇겠지. 요마대전 2에서도 결국 마화족 감염 문제를 해결한 건 버나드였으니까!

에반이 버나드를 짠한 표정으로 바라보며 조심스레 어깨를 토닥여주자 버나드는 울컥하는 게 있었는지 차마 울지는 못하고 푸후, 한숨을 내쉬었다.

그런 그의 심정을 아는지 모르는지 레오가 태연히 말을 이었다.

"그래서 일단 던전을 보는 대로 다 완벽하게 부숴버리고 돌아다니는 길이다. 하지만 결국 우리가 할 수 있는 일에는 한계가 있는 법이지. 그러니까 버나드, 약 만들어줘. 마화족 변종들을 싸그리 말려 죽일 수 있는 약 말이다."

"레오 이 망할 놈아, 네놈이 어떤 약을 만들어달라고 할 때마다 내가 뚝딱 만들어낼 수 있으면 얼마나 좋겠냐! 이놈아, 이 망할 자식아! 그리 간단하게 말하지 말란 말이다!"

"할아버지, 진정해요! 혈압, 혈압 조심해요!"

레오의 멱살을 붙잡고 소리를 지르며 울 것 같은 표정을 짓는 버나드를 에반이 애써 진정시키며 조심스레 물었다.

"그래도 한 번 만들었던 건데 제법 쉽지 않을까요?"

"놈들은 이미 내가 만들었던 약에 대한 저항력을 갖추고 있는 상태다. 그런 놈들에게 듣는 약을 만들려면 대체 얼마나 많은 시행착오를 해야 할지, 생각하는 것만으로도 끔찍하다."

더욱이 마화족이 버나드의 약에 대해 갖추게 된 저항력이라는 것이 어떤 형태일지 모르는 지금은 어떤 것도 쉬이 장담할 수가 없었다.

단순한 병원균처럼 보이지만 놈들의 본질은 마魔에 있는 것이다. 인간에게는 피해를 주지 않고 놈들만을 골라 죽이는 약을 만드는 일이 쉬울 리가 없다.

"그러니…… 가져왔겠지? 샘플을 내놔봐라. 일단 그걸 살펴봐야 뭐라고 말이나 할 수 있겠다."

"어, 살아있는 놈으로 가져왔어. 아리아."

"네에."

뭐? 살아있는 놈으로? 에반이 멍한 표정을 짓고 있는데 아리아가 미소와 함께 손가락을 튕겼다.

그러자 돌연 허공에 금이 가는가 싶더니, 틈이 벌어지며 뭔가가 바닥으로 툭 떨어졌다. 옴짝달싹도 못 하고 있지만 분명 살아있는 그것은…… 바로 고블린이었다.

그녀는 살아있는 고블린을 구속해, 보이지 않는 공간에 보관해 온 것이다!

"아리아는 그간 실력이 더 늘었군."

"세월이 세월인데요. 해야 할 일도 다 마쳤는데 신성력이 늘어 뭘 할까 싶었는데 노년에 이렇게 해야 할 일이 생기네요."

공쑄신의 사제 아리아. 그녀는 다양한 신성마법을 다루며 치유도 공격도 너끈히 해내는 멀티 플레이어였다.

다만 인게임에서는 어느 쪽이든 조금 애매한 면이 있어서 결정적인 국면에서는 그리 큰 역할을 해내지 못했는데…… 그것이 지금 보니 에반의 상상 이상으로 대단했다.

"이전 우리가 함께 여행을 다닐 때도 아리아가 없었으면 진짜 많이 곤란했을 거다, 음."

"그땐 파티를 구성하고 있던 이 중 한 명이라도 없었으면 그게 바로 파탄이었다, 이놈아. 어쨌든 아리아, 이제 공간구속을 풀어도 되오."

"네, 알겠습니다."

[키하아아…… 악!]

아리아가 손가락을 재차 튕기자, 고블린을 구속하고 있던 신성력이 해제되며 놈이 끔찍한 비명을 질렀다.

그러나 버나드가 놈의 머리통에 대뜸 주사기를 꽂자 악 소리 한 번 내고는 재차 멈추고 말았다. 그는 순식간에 듣는 마비약을 투여해 움직이지 못하게 한 것이다!

"흠, 일반적인 몬스터에게 듣는 약은 일단 듣는구만. 에반, 협조해라."

"네. ……버나드 할아버지도 태연한 표정으로 무서운 짓을 하네요."

전설은 괜히 전설이 아니다. 에반은 그 사실을 새삼 느끼며 고블린 앞에 버나드와 같이 쪼그려 앉았다. 그도 버나드로부터 연금술을 배우고 있는 몸. 버나드를 보조하는 정도는 충분히 가능했다.

"일단 투약 실험부터 해봐야겠구만. 혹시 샘플 더 있나?"

"두 마리 정도 더 보관해 왔어요. 지금 꺼내드려요?"

"아니, 일단 이놈으로 해보고 부탁하겠소. ……후, 그럼 시작하자."

버나드와 에반은 그로부터 고블린─의 몸을 차지한 마화족─에게 온갖 몹쓸 짓을 하며 마화족의 스테이터스와 능력, 저항력을 판단했다.

특히 중요한 것은 과거 버나드가 개발했던 마화족 특효약에 대한 놈의 반응이었다. 일단 그것으로 놈이 죽지 않는다는 것은 분명했지만 정확히 어떻게 거기에 저항할 수 있는지를 파악하는 것이 중요했다.

"……썩 좋지 않군."

"그러게요."

그로부터 대략 두 시간이 흘렀다. 그 자리에는 정확히 세 마리의 고블린 마화족이 처절하게 분해되어 있었다. 조사 결과 그들이 확실하게 알아낼 수 있었던 것은 한 가지였다.

"개체별 생체 구조를 달리해 약이 다른 마화족에게 전염되는 걸 막아버리는군. 설마 마화족의 능력이 이 정도로 발전했을 줄은 몰랐다."

"전에 했던 것처럼 약을 살포해서는 죽일 수 없다는 뜻이냐?"

"한 놈 한 놈 잡아 죽이는 것과 비슷한 효율이 될 거다. 놈들에게 직접 약을 쓰는 건 의미가 없어져 버렸어. 실험을 더 해봐야 알겠지만 새로운 약을 개발한다고 해서 그리 달라지지는 않을 것 같다."

"……진짜 절망적이네."

일행은 모두 침묵했다. 그런데 바로 그때, 바닥에 흩뿌려져 있던 마화족들의 피가 또르르 흐르기 시작하는 것이 보였다.

낌새를 눈치챈 버나드가 바로 약을 뿌렸음에도 불구하고 움직임을 멈추지 않더니, 그것이 이내 바닥에 특정한 형태로 고여 문자를 형성했다. 버나드가 그것을 읽었다.

"드디어, 찾았다······."

그것을 끝으로 피 문자는 그대로 산화해버렸다. 고블린들의 시체도 녹아 사라졌다.

일행 사이로 더한 침묵이 자리 잡던 그때 에반이 재차 조심스레 말했다.

"할아버지, 저 도망쳐도 돼요?"

"늦었다. 이미 우린 다 같은 배를 탔다. ······더구나 만약 저쪽에서 와준다면 우리야 고마울 뿐이지. 여왕만 처리할 수 있다면 무서울 게 없다."

"여왕을 처리하기 전에 마화족이 던전도시 내부로 퍼진다면 망하겠지만 말이지."

레오의 무신경한 말에 재차 침묵이 찾아왔다.

물론 소규모 던전과 셰어든 던전은 구조도 다를뿐더러 몬스터의 수준도 다르기 때문에 그리 쉬이 침범당하지 않으리라 믿고 싶었지만, 그건 어디까지나 희망 사항에 불과하다.

"할아버지는 인류가 마화족에게 감염되지 않게 하는 약도 만들었잖아요. 그런 식으로는 어떻게 불가능할까요?"

마화족을 직접 죽일 수 없다면, 어떻게든 마화족이 던전 내부 몬스터에게 감염되는 일만은 막아내는 것이다. 그 정도는 가능할 터였다.

에반은 그것이 제법 그럴듯한 발상이라고 생각했지만 버나드는 고개를 절레절레 저었다.

"그때랑 지금은 사정이 다르지 않느냐. 적어도 인간들은 자신이 살겠다고 필사적으로 저항하기라도 했다. 모든 국가의 협력을 받아 전 세계적인 규모의 예방과 약 처방 조치를 실시할 수 있었다. 그런데 지금은? 던전 안에서 몬스터들을 세워 놓고 감기약 먹이듯이 약을 먹일 거냐 이 말이다. 그러면 그놈들이 퍽이나 고맙다고 하며 순순히 받아먹겠구나!"

잠시 그 모습을 떠올려보던 에반은 그만 픽 웃음을 흘렸다가 한 대 얻어맞고 말았다. 그러나 바로 그 순간 에반의 머릿속에서 번뜩이는 것이 있었다.

"마화족 퇴치약을 놈들 사이에서 전염되게 만들었듯이, 마화족 감염방지약을 전염되게 만들면 되는 거 아니에요? 던전 몬스터들 사이에서."

"……치료약을 전염시킨다? 가능할지 여부는 제쳐두고 제법 재미있는 발상이기는 하구나."

이번엔 머리를 얻어맞지 않았다. 자신감을 얻은 에반은 보다 큰 목소리로 말을 이었다.

"네. 인간에게도 무해한 성분의 감염방지약을 던전 내부에 광범위하게 살포해서, 그걸 호흡으로 받아들인 몬스터들이 마화족에 대한 면역체계를 갖추게 만드는 거죠. 그리고 다시 놈들의 호흡을 통해 던전 중으로 확산되게 만들고요."

"공기감염 말이구나. 그래, 한다면 그 방법뿐이겠지. 다만 그게 던전 내부에서 꾸준히 유지될 수 있을지가 문제다. 던전은 인간에 의한 변화를 받아들이지 않으니까."

"그걸 이제부터 연구해봐야겠죠."

에반이 말했다. 잠시 고민하던 버나드는 이내 고개를 끄덕였다.

"그래, 한번 연구해볼 가치는 있겠구나. 누구 제자인지 아주 똑똑해, 이놈."

"얼씨구, 이놈 금세 따라 하는 거 봐라."

전멸되지 않고 살아남은 마화족이 버나드의 약에 대한 저항력을 갖춘 변종으로 진화했듯이, 해로운 약에 당한 몬스터들은 그 약에 당하지 않는 변종을 금방 만들어낸다. 그렇기에 몬스터, 괴물인 것어다.

하지만 몬스터들을 해하는 약이 아니라면? 단지 마화족에게 침식당하지 않게 할 뿐인 약을 만들어내 퍼트릴 수 있다면?

그 절묘한 선을 지킨 약을 만들어내 던전의 몬스터들을 모조리 치료약에 감염시키는 것, 그렇게 하여 마화족이 던전을 침범하지 못하도록 하는 것. 그게 에반과 버나드의 과제였다.

그리고 그들은 그것이 제법 해볼 만한 일이라고 생각했다.

Chapter 23.

에반 디 셰어든, 축제를 즐기지 못하다

"꺅, 우리 귀여운 도련님 얼굴이 반쪽이 됐잖아요!"

사업 보고를 위해 에반을 찾은 메이벨이 비명을 질렀다. 에반은 몇 개인가의 책과 자신이 적어놓은 노트 속 내용을 정신없이 대조하며 그녀에게 대꾸했다.

"나 지금 바쁘니까 용건만 간단히 해줘, 메이벨."
"아무리 바빠도 휴식은 제때제때 취해주셔야 해요, 도련님!"
"메이벨, 물론 나도 휴식은 좋아해. 하지만 지금 일하지 않으면 조만간 영원한 휴식을 취하게 될지도 몰라."

마화족 감염방지약 개발. 말이 쉽지, 요마대전 시리즈의 역사에도 없었던 신약을 개발하는 일인데 그렇게 쉬울 리가 없었다.

하지만 적어도 착상의 방향성은 틀리지 않았다는 결론이 났고, 따라서 에반과 버나드는 다른 모든 일을 스톱하고 거기에만 매달리고 있었다. 에반은 슬라임 수련조차 밤에 잘 때밖에 못 하고 있는 실정이었다.

"물론 저도 후작님께 듣기는 했지만…… 그러다 정말 도련님이 쓰러지시면 어떻게 해요!"

"뭐, 아버님이 너한테 말해주셨다고?"

그 말에는 오히려 에반이 놀랐다. 이번 일은 무척 중요하면서 동시에 심각한 사안이고, 아무에게나 알릴 수도 없는 일이었기에 아버지인 소라인 후작에게밖에 알리지 않은 것이다.

친형인 에릭에게도, 심지어는 샤인과 벨루아, 라이한에게도 당분간 해야 할 일이 있다는 것 정도밖엔 말하지 않았는데…… 후작이 그걸 메이벨에게?

"네, 대리라고는 하지만 저도 형제약국 대표니까요. 무슨 약을 만들려고 해도 약재가 필요하지 않겠어요? 지금 총력을 동원해 구할 수 있는 모든 약초와 독초를 긁어모으고 있어요."

"아…… 그건 그렇지. 듣고 보니 당연한 일인데 내가 거기까지 생각을 못 하고 있었네."

"도련님은 그런 자잘한 부분까지 신경 쓰실 필요 없어요.

그냥 필요한 걸 말씀만 해주시면 돼요. 제가 뭐든 다 가져올 테니까!"

정말 가장 중요한 부분을 잊고 있었다니. 에반이 어처구니가 없어 중얼거리는데, 그 말을 들은 메이벨이 제 가슴을 탕탕 두드리며 호언장담했다. 그 모습이 실로 멋지고 늠름해서 에반은 그만 반할 뻔했다.

거기에 매혹적으로 흔들리는 그녀의 흉부는 조금도 영향을 주지 않았다. 정말로. 아마도. ……그러나 어쨌든 나이를 먹어 성장한다는 것은 실로 굉장한 일이라고 에반은 생각했다.

"그래, 그럼 부탁해, 메이벨. 곧 축제인데 너까지 힘들게 만들어 미안하다."

"도련님이 안 계시는 축제는 어차피 제게도 의미가 없으니까 괜찮아요. 후딱 그 약인지 뭔지 만들어버리고 같이 놀면 되죠!"

"그래, 그렇게 되면 좋겠다."

평소엔 메이벨의 지나치게 활기차고 긍정적인 발언이 에반에게 조금 부담스러웠지만, 지금은 에반이 축 처져있는 만큼 그녀의 그런 발언이 그의 기운을 북돋워주었다.

"흡, 저도 기운이 났습니다. 그럼 이번 주 보고서는 여기 놔두고 갈게요. 도련님, 힘내세요!"

"……응, 고마워."

메이벨은 에반을 한 번 꼭 끌어안는 것만으로 만족하고는 물러갔다. 따스하고 포근한 햇살의 향기만이 남아 그의 코를 간질였다.

에반은 어느덧 자신이 그녀의 스킨십을 자연스럽게 여기게 된 것에 흠칫했지만 이미 그렇게 된 것을 누구에게도 따질 길이 없었다. 이러다가 결국 칼에 찔리는…… 아냐, 아니다. 그것만은 아니다!

"쯧, 어쩔 수 없지. 입술만은 사수하는 수밖에……. 아니, 지금 이런 데 신경 쓰고 있을 때가 아닌데. 다시 집중하자……."

그는 제 뺨을 짝짝 두드리곤 다시 서류에 집중했다. 열심히 자신의 연금술 지식을 끄집어내며 포션의 레시피를 짜던 중, 문득 1년 반쯤 전에 있었던 전염병 사태가 떠올랐다.

'그때는 내가 아무것도 할 수 있는 일이 없었어. 그저 할아버지한테 매달리기만 했을 뿐.'

아직 자신에게 있는 연금술, 약학 지식을 실전에 응용할 수 없었던 시절이다. 아니, 아마 자신의 능력으로 뭔가 할 수 있다는 발상 자체가 없었으리라.

그렇기에 그저 다른 사람들의 도움을 바라기만 할 뿐이었다. 다른 이들은 에반이 있어 전염병 사태를 해결할 수 있었다고 하지만, 에반은 전혀 그렇게 생각하지 않았다. 그는 한 것이 없었다.

'하지만 언제까지고 그렇게는 안 돼.'

마화족 변종은 전염병 따위와는 비교할 수 없는 끔찍한 재앙이다. 요마대전 시리즈에도 일어나지 않았던 일.

만약 이 세상에 정해진 운명이라는 것이 있다면, 마화족 변종 사태는 그것을 한없이 부정적인 방향으로 비틀어버릴 법한 일이다. 까딱하다간 요마대전 3, 4의 주인공들이 제대로 성장하기도 전에 세상이 멸망해버릴지도 몰랐다.

'적어도 그때까지는 버텨줘야 해. 제아무리 엑스트라라고 해도 할 수 있는 일은 해야지……!'

에반의 눈에 독기가 깃들었다. 그래, 그에게는 요마대전 시리즈의 모든 연금술 지식이 있다. 요마대전 2 같은 구시대의 망령 따위에게 질 수는 없는 것이다!

"해낼 수 있어. 적어도 이번엔…… 나라도 할 수 있는 게 있어."

그는 이를 악물고 문서를 씹어 먹을 듯이 살폈다. 던전도시의 다른 모든 이가 축제를 준비하며 흥겨워하고 있을 때, 에반을 포함한 극소수만이 그렇듯 다른 방향으로 열정을 불태우고 있었다.

＊＊＊

10월 첫째 주 월요일, 던전축제의 전야제가 열리는 날이 찾아왔다. 축제에 있어 가장 들뜨는 날이라고 할 수 있었다.

"뭐, 우리끼리 놀고 오라고 하셨다고?"
"응. ……많이 바쁘셔서 시간을 내기 힘들 것 같다고."

샤인은 벨루아로부터 들은 믿을 수 없는 소식에 입을 떡 벌렸으나 벨루아는 실로 단호하게 대꾸했다. 그렇게 말하는 그녀가 속으로 제일 서글퍼하고 있다는 것을 샤인은 어딘가 모르게 알아차렸다.

"정말 힘든 일인가 보네. 칫, 우리가 별 도움이 되지 못한다는 점이 제일 짜증나."
"……나도 마도보다는 연금술을 배울 걸 그랬어."
"익히는 데 적성이 필요 없는 기술이라지만 그래서 더더욱 힘든 기술이기도 하잖냐. 그냥…… 그냥 최대한 빨리 해결되길 바랄 뿐이지."

에반은 그들에게 사정을 자세히 말해주지 않았을뿐더러 방
에도 잘 들이지 않게 되었지만, 그의 요즘 생활이 버나드와 밀
접하게 연관되어 있다는 것을 알면 대충 그가 무슨 일을 하고
있는지는 추측할 수 있었다.

"그때랑 같네."
"그때보다 심해."

에반이 그랬듯이 그들도 과거 전염병 사태를 떠올렸다. 그
때보다 당장 상황이 심각하지는 않은 것 같았지만, 그래서 더
더욱 에반이 힘들게 몸을 혹사하고 있는 것처럼도 보였다.

"벨루아, 아무래도 세상은 우리 도련님 혼자 지탱하고 있나
보다."
"도련님을 괴롭히는 것들은 다 죽어버리면 좋을 텐데. 전부
다⋯⋯!"

벨루아가 씹어뱉듯이 중얼거리며 이를 갈았다. 가끔 이렇
게 그녀 안에 쌓였던 독기가 외부로 흘러나올 땐 눈빛이 너무
무서워지기 때문에 샤인은 은근슬쩍 그녀와 거리를 벌렸다.

"에반이랑 같이 못 간다면 나는 됐어."

얘기를 가만히 듣고 있던 아리샤는 별 고민도 없이 그렇게 말했다. 애초에 그녀가 이 도시에 머무르고 있는 것 자체가 에반에게 흥미를 갖고 있기 때문이었으니 납득 못 할 일도 아니었다.

"펠라티 백작님이 오신다고 하지 않으셨습니까. 같이 안 계셔도 괜찮아요?"

"아버지 놀러 오는 거 아냐. 일하러 와. ⋯⋯아마 에반하고 같은 일."

"그러면 그게 던전도시 공동의 과제라는 얘긴데⋯⋯. 진짜 사정을 모르니 답답해 죽겠네."

"⋯⋯음."

그런데 샤인의 말에 아리샤가 드물게도 조금 망설이는 듯하더니, 이내 확신은 없다는 투로 말했다.

"던전이 엮인 일이라면, 결국 우리에게도 차례가 돌아올 거야. 몬스터를 죽이는 일이라면 우리도 할 수 있을 테니까, 그러니까 지금은 그걸 대비하면 돼. ⋯⋯아마."

"아리샤 아가씨가 그렇게 말씀하시니 마음이 조금 편해지네요. 그럼 저도 수련이나 열심히 해야겠습니다. 축제는 무슨,

축젭니까."

그렇다. 어쨌든 결국 전투가 필요한 때가 온다면, 그때는 그들도 나설 수 있게 된다. 던전에서 무엇을 하든 그곳에서는 그들이 에반을 보좌할 것이다.

그렇다면 에반이 저렇게 자기 일에 매진하는 동안, 그들도 열심히 수련을 해 능력을 키우면 되지 않겠는가! 아무것도 하지 않고 마냥 그를 걱정하는 것보다 훨씬 그에게 도움이 되는 일일 것이다!

"하지만 샤인, 다른 신인족 아이들은 축제를 기대하고 있어."

"으, 으음…… 응, 그렇겠지. 한참 전부터 말했던 거니 이제 와서 취소할 수도 없고."

그러나 벨루아의 냉정한 말이 그런 샤인의 사고를 한순간에 스톱시켜버렸다. 그야 그렇겠지, 여태까지 거의 제대로 쉬지도 못하고 노력해왔으니……

샤인이 조금 떨떠름한 표정으로 고개를 끄덕이는데, 그런 그를 벨루아가 여전히 빤히 쳐다보고 있었다. 썩 좋은 느낌의 표정은 아니었다.

그는 스멀스멀 불안감이 등줄기를 타고 올라오는 것을 애써 무시하며 그녀에게 물었다.

"뭐야, 왜 그렇게 보는데? 나보고 뭘 어쩌라고?"

"……그러니 부단장, 단원들 인솔 잘 부탁해."

"뭐? 그럼 너는!"

기겁한 샤인이 따지는데 벨루아가 전혀 부끄러운 기색이 없이 태연한 표정으로 말했다.

"난 도련님께 도움이 되기 위해 수련할 거야."

"야, 그럼 나는! 나도 수련하고 싶은데!"

"하지만 샤인은 부단장이니까 단원들을 책임져야 해."

"부단장, 잘 부탁해."

"Uh……."

두 여자는 그렇게 말하곤 홀랑 그 자리를 떠나버렸다. 혼자 남은 샤인은 어이가 없어 입을 떡 벌렸다.

새삼 자신이 부단장을 떠맡게 된 것이 후회막심이었지만 이제 와 그것을 포기할 수도 없으니 그저 조용히 눈물을 흘릴 뿐이다. 대신 지금부터는 밤잠을 줄이고 수련시간을 늘리자고, 그는 조용히 다짐했다.

❀ ❀ ❀

"부단장님, 엄청 커다란 풍선이에요!"

"샤인 형, 저, 저 사람은 뭐예요? 우릴 공격하나요?"

"부단장님!"

"부단장 오빠야, 나 저거 사줘!"

그리하여 그날 밤, 샤인은 폴, 마리, 디토, 에나, 멜슨, 린, 란, 진까지 총 여덟 명의 아이들을 기어이 인솔하여 전야제가 열리는 거리에 나가게 되었다.

그 혼자서는 도저히 아이들을 전부 감당할 수 없었기에 혼자 방패술 수련을 하고 있던 라이한을 반쯤 강제로 끌어내 합류시켰지만 그럼에도 불구하고 무척 힘들었다.

"야, 개인행동 하지 말고 이쪽으로 와서 붙어! 우린 지금 던전 기사단 예비 단원이란 말이야. 그러니까 놀 때도 기강을 지켜야 하는 거야, 알겠어?"

"어째 성기사 수련생 시절에 많이 들어본 말이구나……. 근데 아리샤 양과 벨루아는 공자님을 모시고 있는 거냐?"

"차라리 그랬으면 얼마나 좋았게요. 그 두 분 다 도련님이 열심히 일하고 계신 지금 놀고 있을 수가 없다고 아주 맹훈련 중이십니다."

라이한의 말에 샤인이 이를 갈며 비꼬듯 대꾸했다. 라이한은 샤인 또한 그러고 싶었음을 짐작하고는 쓰게 웃었다. 왜 아니겠는가, 그도 마찬가지 마음인 것을.

"개인의 욕구, 특정한 누군가를 생각하는 마음은 물론 중요해. 하지만 단체를 이끌고 있을 땐 그런 마음조차 접어둬야 할 때가 있지. 넌 성장했구나, 샤인."

"남 일 얘기하듯이 말하고 있는데 그 마음 형도 같이 접어야 할 겁니다. 다 알고 있어요, 데이트 약속 있었죠? 그거 나갈 생각은 하지도 마세요."

"데이트는 아니겠지만 세르피나 양에게 축제 때 거리를 혼자 돌아다니기 무서우니 호위를 해줄 수 없겠냐는 부탁을 받기는 했는데."

"그걸 세상 사람들은 데이트라고 부릅니다, 라이한 형님. 야, 란! 거기 넘어가면 안 돼, 이리 와! 진, 너는 그 이상한 거 보고 있지 말고 이쪽으로 와서 이거 들어. 이게 훨씬 멋져."

샤인은 라이한과 대화를 나누면서도 끊임없이 아이들에게 호통을 치고 달래고 먹을 것을 사 쥐여주고 진기한 것을 구경시켜주고 하느라 바빴다.

아무리 봐도 기사단 부단장보다는 보모에 가까운 모습이었지만 그걸 지적했다간 그 역할 중 일부가 자신 몫으로 돌아오게 될까 두려워 라이한은 거기에 대해 일부러 말하지 않기로 했다.

"그리고 한나 양에게도 그 비슷한 얘기를 듣긴 했는데, 어쨌든 결과적으로는 둘 다 취소가 됐어. 아무래도 둘에게도 축제를 즐기지 못할 만큼 바쁜 일이 생긴 것 같던데."

"그거 분명히 도련님이랑 관련된 일이네. 아니, 그 사람들도 할 수 있는 일이 있는데 나만 없어, 나만."

"우리도 공자님을 위해 일을 하고 있잖냐. 지금 이 아이들이 나중에 공자님의 큰 힘이 되어줄 테니까 말이다."

"지금은 그냥 꼬맹이들일 뿐인데 대체 어느 세월에 말입니까? 지금 당장 도움이 되어야 하는데…… 야, 마리! 안 돼, 그거 몬스터 아니야!"

라이한은 말을 하다 말고 달려 나가 마리를 붙드는 샤인의 모습에 그만 작게 웃음을 터트리고 말았다.

샤인 자신은 부단장직을 부담스러워하는 것 같지만, 그가 보기엔 넓은 시야와 빠른 행동력을 갖추고 있는 샤인이야말로 던전 기사단의 부단장직에 가장 어울리는 것처럼 보였으니까.

그는 분명 이 기사단 멤버 전원을 잘 보살펴, 미래의 강자로 키워내는 데 일조할 수 있을 터였다.

"역시 공자님의 판단은 어긋나는 법이 없지. ……부디 이 축제도 별일 없이 끝나야 할 텐데."

라이한이 에반의 모습을 떠올리며 짙은 한숨을 내쉬던 그때, 광장 언덕에서 대형 폭죽이 발사되어 '펑!' 하고 화려하게 터지며 색색의 불꽃으로 하늘을 수놓는 것이 보였다.

던전축제가 시작된 것이다.

❊ ❊ ❊

멜토 폰 펠라티 백작은 창 너머로부터 들려오는 폭죽 소리를 들으며 빙긋이 웃었다.

"폭죽 소리가 들리는 걸 보니 축제는 예정대로 개최되는 모양이구만, 소라인."

"축제 기간 동안은 계속 폭죽을 터트리는데, 매일 밤 터트리는 폭죽의 양이 늘어나 폐회식 때는 정말로 성대해지지. 이 도시의 주민들은 하여튼 시끄럽고 화려한 걸 좋아한다네."

"실은 나도 아주 좋아해."

축제 때에만 들을 수 있는 화려한 폭죽 소리는 언제나 멜토 백작의 마음을 들뜨게 했다. 마치 순수한 어린아이였던 시절로 돌아간 기분이었다.

"참 듣기 좋은 소리야. 그렇게 생각하지 않나?"

"자네는 그렇게 언제까지나 동심을 유지하고 있게. ……지금 나는 저 폭죽 소리조차 비명으로 들리지만 말이야."

소라인 후작은 한숨을 쉬며 대꾸하곤 눈앞의 보고서에 집중했다. 누가 작성한 것인가 하면, 바로 그의 둘째 아들 에반 디 셰어든이 작성한 것이었다.

"허, 그건 그렇고, 설마 우리 사위가……."
"우리 에반은 자네 사위가 아닐세."
"설마 우리 예비 사위 에반이 전설의 영웅, 레오 아르페타와 연줄이 있었을 줄은 예상도 못 했어. 알면 알수록 신기한 구석이 드러나는 아이야."

멜토 백작은 실로 끈질겼다. 에반의 마음을 알고 있는 소라인 후작은 뭐라 한 마디 더 할까 하다 말았다. 지금은 그런 일로 입씨름을 하고 있을 때가 아니었다.

"……지금은 그것도 썩 달갑지 않네. 덕분에 우리 아들이 고생을 하고 있으니."
"어디, 이제 나도 봄세."

소라인 후작은 입술을 짓씹으며 에반의 보고서를 정독하곤 멜토 백작에게 그것을 건네주었다.

사태의 핵심만 간추린 설명, 진행 방향, 해결 방안과 그에 따른 계급, 직위별 구체적인 행동 지침까지.

멜토 백작은 도저히 열두 살 아이가 썼다고는 믿을 수 없는 꼼꼼하고 정확한 보고서 내용에 혀를 내둘렀다.

"에반의 뇌 안에는 장성한 수재 한 명이 들어가 있는 것 같군."
"아내를 닮아 머리가 좋은 게야. 어쨌든…… 어떻게 보는가?"
"이것 외에 우리가 뭔가 달리 시도할 수 있는 일이 있는가? 적어도 나는 없네."
"나도 없네."

던전도시를 다스리는 두 귀족은 서로를 마주 보며 동시에 고개를 끄덕였다. 이미 각국 국왕에게도 같은 보고서가 올라가 있는 상황. 지금부터는 다들 바쁘게 움직여야 할 때였다.

"부디 다들 협조적으로 움직여주면 좋겠는데……."
"무엇보다 중요한 건 약일세. 몬스터를 대상으로 하는 감염 방지약이라는 물건, 이거 정말 만들 수나 있는 물건인가? 물론 개발이 불가능한 경우를 대비한 방안도 마련되어 있지만 이게 가능하냐 불가능하냐에 따라 결과는 크게 달라질 거야."
"에반과 버나드 경을 믿어보는 수밖에. ……하지만 우선은 특효약이 없다는 가정하에 움직여야겠지."
"그렇지……. 기사들과 병사들이 제대로 고생을 하겠어. 특히나 셰어든은 축제 기간인데 욕들 보겠는데그래."
"죽음보다는 낫지. 아니, 마화족은 죽음보다도 끔찍해."

그들은 마화족 사태 당시 제대로 걸어 다니지도 못하는 어린아이였지만, 그때 이 대륙을 온통 뒤덮고 있던 암울한 분위기만은 선명하게 기억하고 있었다.

믿을 수 있는 인간이 없었고, 문을 꼭꼭 걸어 잠그고 있어도 안심할 수가 없었다. 그저 모든 것이 두려운 시기였다.

그리고 그것은 부모를 죽인 패륜아라는 누명을 뒤집어썼던 비운의 영웅, 레오 아르페타가 끝끝내 마화족들을 이 땅에서 몰아내기 전까지 계속되었다.

"어쩌면…… 어쩌면 그런 시기가 있었기에 그 이후의 인류가 조금 더 발전할 수 있었던 것일지도 모르지. 위기는 우리 모두를 강하게 했지. 던전도시도 그렇고, 우리도 말이야."

"하지만 그런 끔찍한 경험을 하고 자라나는 것은 우리까지만으로 충분해. 아이들은 그저 행복하고 편안한 환경에서 자라나도록 해주고 싶네."

그래, 그저 행복하게 자라나도록 만들어주고 싶었는데…… 이 사태를 그가 제대로 인지하기도 전에 아들이 자청해서 큰 짐을 짊어지고 말았으니. 도무지 한숨이 끊이질 않았다.

그런 소라인 후작의 마음을 이해한다는 듯 그의 어깨를 두드려주는 멜토 백작. 그러던 중 문득 그가 물었다.

"그런데 메르딘 후작은 좀 어떤가. 그쪽에 연락한 것도 자네

였지? 소식은 좀 들었나, 혹시 아직도 병상에 누워있는 건가?"

"그쪽은 큰아들이 이미 장성하여 일을 맡아 하고 있네. 안 그래도 직무 인계 탓에 정신이 없을 텐데 이런 일까지 겹쳤으니 큰일이지. ······부디 잘 움직여주었으면 좋겠네만."

메르딘, 바로 상국 베이페카에 위치한 던전도시의 이름이자 그곳을 다스리는 가문의 이름이기도 했다.

메르딘 후작은 던전 자체를 하나의 사업처럼 운영해 효율적으로 관리하면서도 큰 수익을 올리고 있는, 세 귀족 중에서는 제일 머리가 잘 굴러가는 자였는데, 하필이면 지난 전염병 사태 때 병균이 옮는 바람에 지금까지도 병석에 누워 끙끙대고 있었다.

"큰아들 이름이 실란이었지. 올해 스물다섯 살이던가?"

"오차가 제법 큰걸, 열아홉이네. 성년이 되고 얼마 지나지 않았지."

"어이쿠."

둘은 견딜 수 없는 불안감을 공유했다. 그들이야 워낙 아들딸들을 잘 낳아놓았다지만 사실 던전도시를 맡아 다스리기에 열아홉 살이란 나이는 지나치게 어린 것이다.

아직 많은 것들을 신경 쓰지 못할 나이이고, 올바른 결정을 내리기에도 너무나 어린 나이이다. 그런 상황에 이번 사태가 터졌으니, 과연 그가 현명하게 대처할 수 있을지 근심이 될 수밖에 없는 것이다.

"내가 직접 찾아갈까?"

"농담하지 말게. 펠라티에는 자네가 꼭 머무르고 있어야 해. 대신…… 믿을 만한 사람 하나를 보내두는 건 좋겠지. 나도 믿을 만한 가신을 하나 보낼까 하네."

"끙, 이런 사태가 터졌으니 던전 기사단도 쉬이 빼낼 수가 없는데. 정말 골치 아픈 일들밖에 없군."

소라인 후작 또한 실로 그렇다는 듯 고개를 끄덕였다. 그러나 심란하다고 해서 언제까지고 여기서 한숨만 내쉬고 있을 수도 없는 노릇, 둘은 곧 자리를 박차고 일어섰다.

"바로 움직입시다, 움직여. 우리와 다른 사람들을 위해서."

"어째서 고달픈 일들만 연속해 터지는지 모르겠네. ……그래도 이곳까지 직접 왔는데 딸아이는 보고 가야 하지 않겠는가?"

"안 그래도 여기 도착하자마자 만나러 갔네만, 누구 한 명 죽일 것 같은 표정으로 레이피어를 휘두르고 있어 접근하지도 못하고 그대로 물러 나왔네. 아무래도 그 아이가 이곳에 머무르며 에반을 보고 배운 게 많은 모양이지."

"……그 아이로부터는 우리 모두 언제나 배우기만 할 뿐이지. 후우, 아비로서 스스로가 너무 한심할 뿐이네."

상념은 거기까지, 두 남자는 바로 행동을 개시했다. 사람들이 그저 순진하게 축제를 즐기는 사이, 던전도시 셰어든과 펠라티에는 가장 강고한 방어벽이 세워지고 있었다.

✼ ✼ ✼

물론 축제를 즐기지 못하는 것은 전 영웅 일행도 마찬가지였다.

"버나드, 여기 샘플 더 구해왔다!"
"후, 오랜만에 던전에 들어가니 기분이 상쾌하더군요……."
"신이 우리에게 멸마滅魔의 의지를 강제하는 그 느낌은 언제 겪어도 그리 유쾌하지만은 않지만 말입니다."

그들은 버나드의 지시에 따라 외부에 나가 마화족에 감염된 몬스터 샘플을 더 구해 오거나, 실로 오랜만에 셰어든 던전에 들어가 몬스터를 잡아 오거나 약초, 그 외에 던전에 놓인 물건들을 채집해 오는 등 바쁘게 움직였다.

"맙소사, 버나드. 얼굴이 반쪽이 됐잖아요? 조금은 쉬면서 해요. 이제 당신은 예전처럼 젊지 않아요!"
"……버나드, 정말 괜찮습니까? 당신이 쓰러져서야 아무 의미가 없어요. 당신의 건강이 제일 중요한 겁니다."

"헹, 젊을 때보다 지금이 더 체력이 좋으니 걱정들 하지 마시오. 더구나 하루에 한 번은 탕에 몸을 담그고 있으니 쓰러질 일도 없지. ……이 일이 끝나기 전에는 쓰러지고 싶어도 쓰러질 수가 없어."

그러나 바쁘게 움직이고 있는 그들보다 더욱 고생하고 있는 이가 있었으니 물론 이번 일의 총 지휘자를 맡은 버나드 본인이었다.

버나드도 자신이 멀쩡하다고 말은 하고 있지만 점점 기미가 짙어지는 것이, 그의 말마따나 형제목욕탕에 꾸준히 가 짧은 시간 내에 집중해서 피로를 풀지 않았더라면 쓰러지지 않았을까 싶을 정도였다.

"어때. 차도는 보이냐, 버나드?"

"샘플은 몇 개 뽑았다. 에반 그놈이 역시 뇌가 젊어선지 발상이 심히 번뜩이는 구석이 있어. 나 혼자였더라면 이렇게 빨리 약을 만들어내는 건 불가능했을 텐데……. 그리고 그 효과는 지금부터 하나씩 시험을 해봐야겠지."

"인체에 무해한 게 제일 중요해, 버나드. 알고 있지?"

"약과 독의 차이점이 무엇인지 알고 있나, 친구? 그건 바로 독은 우리 인간을 죽일 수 있는 물건이지만, 약은 인간에게 해가 되는 것을 골라서 죽이는 물건이라는 점이지."

그것이 버나드가 배우고 익힌 약학의 기본이다. 그는 그 어떤 약을 만듦에 있어서도 그 기본적인 수칙을 잊은 적이 없었다. 물론 버나드가 익힌 약학을 고스란히 배운 에반 또한 그 것은 마찬가지였다.

"아, 그래. 맞아. 그렇지."

그의 믿음직스러운 대답에 레오 아르페타는 어딘가 그립다는 듯한 표정이 되었다.

"40년쯤 전에 네게 직접 들은 기억이 나는군."
"네놈은 잘도 그 시절을 떠올리며 그렇게 흐뭇한 표정을 지을 수가 있구나. 나는 무리다, 이놈아. 밤잠을 자다가도 그것 때문에 이불을 걷어차고 일어나."

버나드가 레오를 보며 어이가 없어 말하는데, 일로인이 다가와 그의 손을 조심스레 붙잡았다. 해줄 수만 있다면 자신의 힘을 버나드에게 전달이라도 해주고 싶다는 듯한 표정이었다.

"버나드, 그때도 당신이 있어 세상을 구할 수 있었습니다. ……그러니 부탁합니다. 다시 세상을 구해주세요. 당신이 우리의 희망이에요."
"말은 바로 해야지, 일로인. 그때 나는 온전히 세상을 구하

지 못했소. 후환을 남겨 이 꼴이 되었지. ……그러니 이번에
야말로 구하는 거요. 이번에야말로."

"버나드……."

버나드는 단호한 표정으로 그렇게 선언하며, 레오 일행이
구해 온 샘플들을 대상으로 그 자리에서 샘플들을 시험하기
시작했다.

그러던 때 레오는 선반에 따로 놓인 약병을 발견하곤 고개
를 갸웃했다.

"버나드, 이건 뭐냐? 따로 봉인 걸어놓은 것 같은데, 맞지?
엘릭시르라도 되냐?"

"그건 그냥 건드리면 아무리 네놈이라도 무사하지 못할 테
니 가만히 놔둬라. 괜히 그렇게 봉인해놓은 게 아니다."

"그래서 뭐냐니까?"

쯧, 하여간 더럽게 호기심이 많은 건 세월이 지나도 고쳐지
질 않는군. 약을 투여한 몬스터의 반응을 조사하며 버나드는
대수롭지 않게 대꾸했다.

"만약의 사태를 대비한 물건이다."

"만약의 사태?"

"네 녀석이 가져온 마화족 고블린을 처음으로 해부했을 때,

그때 피로 나타났던 문자를 기억하고 있겠지, 레오."

레오는 음, 하고 고개를 끄덕였다. 과연 그때는 레오도 놀라지 않을 수 없었다.

뭣보다 놀란 점은 언제나 적들이 개수작을 부리기 전 완벽한 처치로 그것을 막아냈던 버나드조차 피 문자가 형성되는 것을 막을 수 없었다는 점.

장미여왕과 그 수하 마화족의 링크가 터무니없이 강력해졌다는 사실을 실감한 순간이었다.

"그때 난 생각했다. 어째서 하필이면 그 순간 문자가 나타난 것일까. 그도 그렇지 않으냐, 레오? 네가 마화족 변종들을 처치하고 돌아다니기 시작한 것은 벌써 몇 년도 더 전인데, 왜 이제 와서? 여태까지는 그럴 기회가 없었을까?"

"……어라, 그렇구만? 난 분명히 장미여왕의 목을 직접 날린 나한테 던져오는 메시지라고 생각했는데……. 가만, 그럼 설마 장미여왕은 지금 널 노리고 있는 거냐?"

"난 그렇게 생각하고 있다. 타당한 이유지."

그렇다. 곰곰이 생각해보면 너무나 타당해서 고개를 끄덕일 수밖에 없다. 물론 레오 아르페타의 전투력이 있어 일행이 모험에 성공하고, 끝내 장미여왕의 목을 벨 수 있었던 것은 맞다.

하지만 버나드가 없었다면? 그들은 '결코' 마화족이라는 존재를 지상에서 지워낼 수 없었을 것이다. 애초에 인간과 마화족을 구분할 수단을 끝끝내 발견하지 못했을 터다.

그러니 만약 장미여왕의 의지가 바르게 계승되었다면, 레오 아르페타보다도 버나드 가르시아라는 인간을 더욱 증오하는 것도 당연한 일이었다.

"가만, 그래서 여태 마화족 변종 놈들이 세상 방방곡곡에 퍼져 있었던 건가? 난 그냥 전멸당하지 않기 위해서라고 생각했는데."

"버나드를 수색하고자? 정말 그럴 수도 있겠어요. 버나드가 활동 당시 가명과 가면을 쓰고 있던 것이 정말 다행이었…… 어머나, 그렇다는 건……!"

레오의 말을 받아 말을 잇던 아리아의 순진한 홍색 눈동자가 동그랗게 뜨였다. 그녀가 미처 하지 못한 말을, 일로인이 마무리했다.

"설마…… 그들이 바로 이곳으로 올까요?"

"그렇게 걱정하지 마시오, 일로인. 그것을 대비해 만들어둔 게 바로 거기 놓아둔 물건이니까."

일행은 그 끔찍한 상상에 몸을 부르르 떨었으나, 버나드의 표정은 지극히 담담하고 고요했다. 에반이었더라면 '아, 이거 게임에서 버나드 필승하는 패턴인데' 하고 박수를 쳤을 것이다.

"난 그때 마지막 순간, 장미여왕을 끝끝내 놓친 것을 깨닫고 수십 년간을 후회하며 살았던 사람이오. ……만약 다시 장미여왕이 내 눈앞에 나타난다면. 제아무리 많은 변종을 만들어내고, 본인 또한 진화했다고 하더라도……."

버나드는 담담히 주사기를 마지막 몬스터의 팔에 꽂았다. 그 순간 버나드의 눈에 이채가 돌았다. 반응이 좋았던 것이다. 어제 에반과 함께 연구하던 샘플이었다.

"다시는 도망치지 못하게 만들어줄 자신이 있으니까."

전설의 연금술사의 자존심에 상처를 낸 대가는 크다. 장미여왕이 그것을 뼈저리게 깨닫게 되는 순간이, 기필코 오게 될 것이다.
그리고 그 순간은 버나드의 생각보다도 빨리, 급하게 그들을 찾아오고 있었다.

❁ ❁ ❁

"여기 맛좋은 꼬치 있습니다! 형제꼬치보다 맛있어, 장담한다니까!"

"거기 형님, 모자 한번 보고 가쇼! 아가씨들 시선을 독점할 수 있을걸?"

"아, 저기 장식된 화초 좀 봐, 드래곤이야! 대체 어떻게 만든 거지?"

던전축제도 어느덧 나흘째가 되었다. 매일같이 바뀌는 노점, 행사. 던전도시에서 열리는 축제를 기대하고 있던 모든 사람들이 출신이며 신분을 가릴 것 없이 한데 뭉쳐 에너지를 발산하고 있었다.

"에릭 도련님을 뵌 적이 있나? 이전 먼발치로 뵈었는데, 굉장히 늠름하게 성장하셨더군."

"오늘 대중 앞에 서신다지 않나. 그런데 그분은 셰어든 가문 최초로 마도를 배우고 계신다 하지 않았던가? 대체 왜 그렇게 몸집이 우람하신 거야?"

어제는 전투 길드들이 주도하는 이벤트가 있었고, 오늘은 셰어든의 후계자 에릭 디 셰어든이 대중 앞으로 나오게 될 예정이었다.

더욱이 폐회식이 있는 내일은 가장 성대한 이벤트가 열릴 예정. 모두가 축제가 끝나지 않기를 바라면서도 그 순간이 오기를 기다리고 있었다.

"그런데 병사들은 왜 이렇게 살벌하게 움직인담."

"원래 저치들은 축제일 때 더 정신없이 구르는 법이지. 이런 때 범죄가 일어날 확률이 더 높잖아. 사람도 많겠다 흐르는 돈도 많겠다, 던전보다도 황홀한 환경 아니겠어?"

"쯔, 하여간 분위기 파악을 못 하는 것들이 어디에나 있구만."

사람들이 아무런 생각 없이 축제를 즐기기만 하면 되는 것과는 달리 셰어든의 기사, 병사들은 초비상 상태에 돌입해 있었다.

도시의 경계가 이중삼중으로 삼엄해진 것은 물론이요, 축제 기간임에도 도시를 출입하는 사람에 대한 심사는 더욱 까다로워졌다. 버나드가 배포한 약이 곳곳의 검문소에 놓였다. 마화족 변종에게 반응하는 약이었다.

"크하, 오늘도 경비야? 비번은 대체 언제 돌아오는 거야."

"이번 축제가 끝나면 후작께서 대대적으로 모병을 한다고 하셨네. 이미 국왕 폐하께 승인까지 받으셨다고 하니 그때까지 조금만 더 참지."

"모병? 환장하겠군, 후작께서 어디랑 전쟁이라도 치르려 하시는 겐가?"

"차라리 인간들과 하는 전쟁이면 좀 낫겠구만……. 몬스터 대적 부대를 새로 창설하시겠다는 소문이 들던데."

"몬스터어?"

아무리 축제 때 범죄율이 높아진다고는 해도 비정상적으로 업무량이 늘어나자 병사들도 의아하게 여기기는 마찬가지였다.

사실에 기반한 추측과 거기에서 비롯된 온갖 낭설이 떠돌았으나 당장 그들이 할 수 있는 일은 한숨 푹푹 내쉬며 업무를 보는 것뿐. 그런 그들에게 낙이 있다고 한다면…….

"엇, 저기 문 통과해 들어온 여자 엄청 예쁘지 않냐?"
"오, 오오오오. 예쁘구만."
"이놈들아, 검문을 해라, 검문을."

바로 도시를 드나드는 사람들의 외모 품평을 (멋대로) 하며 남몰래 즐거워하는 정도였다. 선임 병사는 그런 병사들의 투구를 가볍게 두들기며 혼을 냈지만 후임들은 투덜거릴 뿐이었다.

"하지만 딱 봐도 귀족가 영애 같은뎁쇼. 괜히 귀찮게 했다가 잘못 걸리면…….”
"쯧, 그게 후작 각하의 명을 따르지 않아 짓는 죄보다 더 무서우냐? 한심한 것들, 여기서 가만히 보고나 있어라."

선임 병사는 뒤로 많은 시종들을 거느리고 걸어오는 붉은 머리의 미녀를 향해 보무도 당당하게 걸어가며 정중히 고개를 숙여 인사했다.

"던전도시 세어든에 오신 것을 환영합니다, 레이디. 신분과 성함을 말씀해주실 수 있겠습니까?"

"마나로드의 레이커스 가문이랍니다, 멋진 병사님. 아마 잘 모르실 거예요."

레이커스 가문, 유명한 귀족가도 아니고 사실 각국의 귀족 정보를 기억하고 있는 것이 이상한 일이지만 병사는 알고 있었다. 짬밥이 짬밥이었기 때문이다.

"레이커스 가문의 혈족이십니까, 위대한 대지의 마도의 길을 걷는 분과 만나 영광입니다. 무례한 일이나 이름을 여쭈어도 되겠습니까. 영주님께서 출입하는 자 모두의 이름을 기록할 것을 명하시어⋯⋯."

"우리 가문을 알고 있는 병사님과 만날 줄은 몰랐네요! 이거 참 기쁜걸요."

미녀는 자신의 붉은 머리만큼이나 붉은 두 눈을 빛내며 박수를 쳤다.

그 순간이었다. 그녀의 뒤에 서 있던 하인복 차림의 남자 한 명이 병사를 지그시 바라보자, 병사의 두 눈에 기이한 빛이 깃들었다.

병사는 지체 없이 그녀에게 고개를 숙였다.

"미셸 폰 레이커스 님이셨군요. 외모가 너무 많이 바뀌셔서 순간 알아보지 못했습니다. 설마 직계혈족께서 찾아와주시다니 영광입니다."

"이런, 만난 적이 있었다면 더욱 섭섭한걸요. 그대에게 내게 사죄를 할 방법을 하나 알려주고 싶은데…… 듣겠어요?"

"물론입니다, 영애. 저는 기사가 아니나 레이디의 청을 거절할 수는 없지요."

미셸 폰 레이커스라고 불린 여자는 흡족하게 웃으며 병사에게 물었다.

"이 도시에 뛰어난 약사가 있다는 소문을 들었어요. 늙은 남자인데, 이름이 확실히……."

"버나드 가르시아 경을 말씀하시는 겁니까? 위대한 분이지요. 전염병을 막아내는데 지대한 공을 세우셨음에도 큰 보상을 바라지 않는 겸손한 분이신데…… 헌데 영애께서 어쩐 일로 그분을?"

여러 가지 일이 있은 후, 후작가의 기사나 병사들은 작위도 없는 버나드의 이름 뒤에 '경'이라는 칭호를 붙여 존중하게 되었다.

물론 버나드가 에반의 스승 노릇을 하고 있다는 것이 알려져 있어 더욱 그런 것이기도 했다.

"전염병, 겸손…… 확실하네요. 그 사람이에요. 실은 그 사람에게 개인적으로 부탁하고 싶은 일이 있어서 그러는데…… 어디에 가야 만날 수 있는지 알려주시지 않겠어요?"

"그런 일이라면 기꺼이. 버나드 님께서는 지금……."

병사는 실로 친절하게 버나드가 지금 머무르고 있는 개인 숙소의 약도를 그려 그녀에게 알려주었다.

"외진 곳이지요? 그분께서 고독을 좋아하시는 분이라."

"어머나, 이미지에 딱 어울리네요. ……정말로 어울려요. 그래, 이곳에 가면 될까요?"

"네. 원래 형제약국이라는 곳에서 일하고 계시지만, 지금은 축제 기간이라 그곳은 영업을 하지 않습니다. 하지만 이곳으로 가시면 확실하게 만나보실 수 있을 겁니다."

"정말로 고마워요, 멋진 병사님."

미셸 폰 레이커스는 흡족하게 웃으며 병사에게 감사 인사를 하고는 뒤돌아섰다.

"아닙니다, 이 정도야 당연하죠. 그럼 멋진 만남 가지시길 바랍니다!"

병사는 그녀에게 밝은 미소로 대꾸하고는 뛰어가듯 검문소

안으로 복귀했다. 그 안에서 시끌벅적 떠드는 소리가 들렸지만 그녀는 더는 거기에 시선을 두지 않았다. 아마 천박한 농담들을 하고 있는 것이리라.

시종들이 그녀를 호위하듯 양옆으로 도열했다. 인파 속에 자연스레 묻혀 걸으며 그녀는 입가에 비릿한 미소를 띠었다.

"버나드 가르시아라…… 그 이름으로 숨어있었던 건가. 한참을 찾아야 할지도 모른다 생각했는데 설마 경비가 바로 말해줄 줄은 몰랐어."

"여왕 폐하, 저들은 그래 봐야 하등한 인간입니다. 우리 마화족의 마법에 저항할 수 있을 리가 없습니다."

그녀와 가장 가까운 곳에 선 남자가 반쯤 허리를 굽혀 예를 취하며 말했다.

그러나 여왕이라 불린 이…… 미셸 폰 레이커스 따위가 아닌, 마화족의 지배자 장미여왕은 그의 말에 코웃음을 쳤다.

"한때는 나도 그렇게 생각했었지. 그러나 인간의 힘은 무서운 것이다. 무수히 많은 먼지들 가운데 극히 드물게 찬란한 빛을 발하는 존재가 있어, 언제나 그들이 우리를 막아왔다. 너희가 내 씨앗을 구해내지 않더라면 우리 마화족의 역사는 인간에 의해 그 막을 내리게 되었겠지……."

"그러나 우리는 그때보다 더욱 강해졌고, 발전했습니다. 이

대로 세력을 불린다면 반드시 이번에야말로 어렵지 않게 인간 놈들을 모두 쓸어버릴 수 있겠지요. 그런데 어째서 여왕께서 직접 이 위험한 곳으로 몸을 옮겨…….”

“헛소리.”

이곳까지 오는 길에 몇 번이고 들었던 그 말을 여왕은 몇 번이고 그래왔듯 일축했다.

“그 망할 연금술사 놈에게 시간을 줘선 안 돼. 놈은 이미 우리를 막기 위한 무언가를 만들고 있을 거야. 그런 끔찍한 놈이다. 얼마나 빨리 놈을 죽이느냐에 따라 성공 여부가 달려 있다고 해도 과언이 아니란 말이다.”

“……여왕께서는 그 남자에게 유독 집착하시는군요.”

말을 잃은 남자를 대신해 이번엔 여성형의 마화족이 말했다. 여왕은 망설이는 기색도 없이 고개를 끄덕였다.

“우리를 죽인 것은 그 남자다. 레오 아르페타 따위, 머리가 텅 빈 놈은 위협이 못 돼. 그 연금술사가 있는 한 우리는 반드시 인류에게 패배할 것이고, 놈을 붙잡는다면 우리는 반드시 승리할 것이다.”

“붙잡아서 어쩌시겠습니까?”

“마화족으로 만들 것이다. 나의 씨앗을 심겠다.”

인류는 마화족의 씨앗에 침식된 인간은 개인으로서의 죽음을 맞이한다고 인식하고 있었다. 그러나 사실 그렇지 않은 경우도 있었다.

씨앗에 담긴 힘의 농도와 종류에 따라 개인이 죽는 경우, 변질되는 경우, 거의 온전히 남는 경우까지도 있었다.

버나드 가르시아의 능력에 경악하고, 나아가 감탄한 여왕은 단순히 그를 죽이는 것은 아깝다고 생각했다.

비록 다른 인간을 침식하는 것은 포기했지만, 그만은 온전한 마화족으로 만들어 자신을 시중들게 하겠다…… 여왕은 그렇게 굳게 다짐하고 있었다.

"그렇군요. 그자가 마화족이 된다면 그땐 정말 두려울 것이 없겠습니다."

"그리고 그것은 나 개인이, 버나드 가르시아라는 개인을 완전히 정복하는 순간이기도 할 것이다. 실로 유쾌하구나. 그것이 기대되어 참을 수가 없다."

"……폐하께선 정말로 인간의 감정을 배우셨군요."

마화족은 마족이다. 인간과는 다른 섭리로 움직이며, 다른 식으로 사고하고, 물론 그들이 느끼는 감정 또한 인간의 그것과는 많은 면에서 차이를 보인다.

그러나 버나드를 비롯한 용사들과 싸우는 과정에서 불완전해진 탓일까, 한 번 육신을 잃고 씨앗에서부터 새로이 발아한

여왕의 성향은 어느덧 조금 달라져 있었다.

인간의 침식을 포기하고 몬스터만을 침식하거나, 요마왕에게 향하던 충성마저 끊어내고 인간, 버나드에 대한 복수심만을 불태우는 등…… 보다 효율적인 길을 놔두고 불편한 길을 골라 걷는 것은 인간들만이 보이는 행동이었다.

"그들은 강하니까. 부족한 것을 배워 나를 강하게 만드는 것이야말로 마족의 본분이다."

"물론…… 그렇습니다. 폐하의 판단이 실로 옳으십니다."

마화족 여성은 여왕의 말에 긍정하며 고개를 숙였다. 여왕은 흥, 코웃음을 치고는 말했다.

"위치를 완벽하게 파악해두어, 오늘 밤에 바로 그를 기습할 것이다. 너희는 다른 훼방꾼이 끼어드는 것을 막아라. 내가 버나드 가르시아를 급습하여, 나의 것으로 취하는 동안 말이다."

"명을 받듭니다, 폐하."

"모든 것이 당신의 뜻대로, 사랑스러운 폐하."

마화족은 여왕을 향해 정중히 예를 취했다. 외부인들이 보기엔 그저 젊고 아름다운 영애의 비위를 맞추어주느라 하인들이 고생하는 것으로밖엔 보이지 않았지만…….

이 순간 던전도시의, 나아가 세상의 명운은 크게 요동치고 있었다.

❄ ❄ ❄

과거의 장미여왕은 실로 지독한 괴물이었다. 인간의 약점
을 파고들기 위해 어떻게 행동해야 하는지, 무리를 어떻게 움
직여야 할지 아는 지능적인 적.

그러나 다행한 점은 버나드가 그녀와 그녀의 수하들보다
약간 머리가 좋았다는 것이다. 버나드의 계산은 언제나 여왕
을 한 수 앞섰고, 그들이 적보다 약했던 시절에도 버나드의 재
치는 언제나 그들을 살렸다.

그리고 그것이 마화족의 위협으로부터 끝끝내 인류를 보호
해주었으며, 용사 일행을 최후의 전장으로 이끌기도 했다.

'차라리 나의 것이 되어라, 인간. 그리하면 네게 세상의 절
반을 주겠다. 요마왕께서는 군림하되 취하지 않으시는 분, 달
콤한 과실을 취하는 것은 우리의 몫이 되리.'

폐허가 된 에스카로티에서 기어이 버나드와 마주하게 된
장미여왕은 진심으로 그에게 그렇게 말했다.

무수한 인자를 빨아먹고 개화한 다른 어떤 꽃들보다도 버
나드가 찬란히 빛나고 있었으니, 그녀는 그것을 갖고 싶어 어
쩔 도리가 없었다.

까딱하다간 요마왕을 강림시키는 것보다도 더욱 중요하게 여겨질 정도로.

'진짜로 그런 싸구려 대사를 내뱉는 놈이 있었네…… 빌어먹을, 왜 나는 인간 여자한테는 인기가 없고 이런 괴물들한테만? 몸에 밴 이 약초 냄새 때문인가?'

'가면이나 벗고 얘기해라, 가면이나. 그래서 어쩔 거야, 데인. 세상 절반 받고 우리 배신할 거냐?'

'말도 안 되는 소리. 고작 세상 절반 정도로 내가 움직일 것 같아? 아, 그래도 모조리 가져다 바친다면 한번 생각해보지.'

'……실로 어리석은 인간이구나.'

여왕은 그렇게 말했다. 그러나 어리석은 것은 누구였던가, 여왕은 패퇴하여 간신히 목숨만을 건져 도주하였고, 버나드는 끝내 인간들을 지켜냈다.

여왕이 '지켜낼 가치도 없는 버러지들'이라고 말했던 인간들을.

"버러지들이라…… 하지만 그 버러지들 가운데 에반 같은 녀석들이 있었으니, 역시 그때 내 선택은 틀리지 않았던 셈이지."

오랜 상념에서 깨어난 버나드는 피식 웃으며 그리 중얼거렸다. 자신이 레오도 아니고, 그 시절을 떠올리며 웃게 되다니 실로 신기한 일이 아닐 수 없다.

그는 선반에 놓아두었던 물건의 잠금장치를 해제하고 내용물을 자신의 주사기에 채워 넣어, 그것을 다시 총에 장전했다.

주사기를 쏘아내 내용물을 적에게 침투시키는 것을 목적으로 만든 총이었다.

"후으, 버나드가 오랜만에 총을 든 모습을 보니…… 정말 근사하네요. 그 시절이 생각나요."

"일로인, 적당히 해요. 아주 눈에서 꿀 떨어지겠어요."

장총의 상태를 마지막으로 점검해보며 옅은 미소를 짓는 버나드를 보던 일로인이 감탄하여 중얼거렸다.

그 말을 들은 아리아가 어이없어하며 그렇게 말하는데, 버나드가 퍼뜩 고개를 들더니 일로인을 걱정스러운 눈으로 살폈다.

"음? 눈에서 꿀이 왜 떨어져. 일로인, 혹시 병이 있다면 내가 봐줄 수 있는데."

"버나드…… 당신은 그냥 입 다물고 있어요, 제발."

"야, 다들 준비해!"

자신의 대검을 걸친 레오가 문을 열고 들어오며 신이 나서는 외쳤다.

"검문소에서 마지막 보고 들어왔어. 여왕을 성공적으로 유인하고 있다는데! 여기서 다 처리해버리면 약 개발할 필요도 없이 끝나는 거 맞지?"

"글쎄다, 여왕이 정말 이곳까지 찾아와준 덕에 일이 많이 편해지긴 했다만…… 변종이 괜히 변종이겠냐? 여왕을 죽여도 독립적으로 살아남는 개체가 제법 있을 게다. 뭐, 그래도 걱정은 없지만."

버나드는 여유롭게 대꾸하며 씩 웃었다.

"실은 오늘 오전에 약의 개발이 끝났거든. 이전엔 나뿐이었지만 이번엔 에반이 있었다. 서로의 오류를 지적해주고 새로운 발상을 해낼 수 있다는 건 실로 멋진 일이더군. ……그러니 레오, 이번엔 인류가 제법 수월하게 이길 수 있을 거다."

"……아아."

"앗, 일로인! 정신 차려요, 일로인!"

일행 중 한 명이 심쿵사의 위기에 처하기는 했으나, 그들은 어떻게든 무사히 전투준비를 마치고 그 자리를 나설 수 있었다.

❁ ❁ ❁

에반은 눈앞에 놓인 병 안의 푸른색 액체를 몇 번이고 살폈다. 이미 몇 번에 걸친 검토에 실험까지 완벽하게 끝낸 물건이지만 그래도 영 실감이 나질 않았던 것이다.

이럴 때 게임 속 주인공이었더라면 그냥 아이템 설명을 보는 것처럼 정보를 확인할 수 있어서 편했을 텐데! 이렇게 마지막까지 불안해할 필요가 없었을 텐데!

"아, 그래도 실제로 요마대전 2의 주인공인 레오 할아버지도 그런 능력이 없었으니까 주인공이라고 딱히 그런 능력을 갖고 태어나는 건 아닌가. 역시 그 개사기 능력은 게임의 전유물이었던 거겠지……."

"도련님……?"

"아무것도 아니에요, 기사단장."

또 무심코 혼잣말이 흘러나왔다. 에반은 자신의 입을 두드려 봉하고는 푸른색 액체…… 즉 마화족이 몬스터를 침식하는 것을 막아내는 감염방지약 수백 병이 차곡차곡 담긴 인벤토리 포켓을 기사단장에게 건넸다.

그리고 어딘가 분무기를 닮은 기구도 함께 건넸다. 예비용으로 여러 개를 만들어 포켓에 담아놓기도 했다.

"이 병을 여기에 꽂아서, 이걸 눌러 그대로 사방에 뿌리기만 하면 됩니다. 잘 부탁해요. 다른 기사단원 여러분도, 잘 부탁해요. 여러분에게 우리 셰어든의 미래가 달렸으니까."

"예, 도련님!"

"빠르면 빠를수록 좋아요. 아마 한 번 뿌리면 알아서 던전 깊숙이 퍼지리라 믿지만, 그래도 혹시 모르니 들어갈 수 있는 최대한 깊은 곳까지 들어가 줬으면 해요."

"맡겨주십시오, 도련님. 도련님께서 밤잠을 설쳐가며 이것의 개발에 매달리셨던 것을 알고 있습니다. 그 정성을 헛되이 하는 일은 없을 겁니다."

"……저도 잘할 수 있는데, 그거."

인벤토리 포켓을 받아 들면서 정중하게 고개를 숙이는 기사단장을 보며, 옆에서 샤인이 불퉁한 표정으로 중얼거렸다.

에반은 그 말에 어이가 없다는 표정을 지었다. 약의 개발이 끝난 시점에서 이젠 말해도 되겠다 싶어 말해준 것인데, 설마 던전에 들어가 약을 살포하는 역할까지 탐낼 줄은 몰랐다. 아무리 그가 몬스터 사냥을 좋아해도 그렇지…….

"이미 공략을 한 번 했던 사람들이 들어가서 뿌리는 게 빠르겠어, 실시간으로 공략하면서 뿌리는 게 빠르겠어? 네 마음은 알지만 이번엔 우리 차례가 아냐."

"그럼 우리 차례는 대체 언제 옵니까? 우리는 언제까지 도련님이 고생하시는 걸 구경만 하고 있으면 되는 겁니까?"

"지금부터 5년 반이 흘러 내가 성년이 되어, 던전 기사단을 만들면. 그리고 거기서 다시 2년이 지나면 더더욱 바빠지겠지."

"어……?"

밤잠을 설쳐가며 쌍단검술에 매달렸던 자신의 노력은 무엇
인가, 허무해져 따지듯 물어본 것인데, 거기에 의외로 에반이
구체적인 시점을 말해주었다.

그가 정확한 시점을 얘기해준 것은 이번이 처음이지 않은
가……? 샤인이 얼떨떨한 표정을 짓는데 에반이 짓궂게 웃으
며 말을 이었다.

"그때가 되면 네가 지금이 그립다고 말하게 될 만큼 바빠질
거야. 그 세대의 주역은 너희가 될 테니까. 그러니까 지금은
열심히 수련이나 해둬. 나중에 나 욕하지 말고."

"정말입니까……?"

"당연하지. 애초에 우리 계약이 뭐였어? 너희가 나를 적극
적으로 나서서 지켜야 할 만큼 큰일들이 생길 거라니까?"

지금은 에반이 고생한다 어쩐다 해도 그는 8년 후 요마대전
3의 주인공이 나타나면 결코 스스로는 움직일 생각이 없었다.
아니, 애초에 뭔가를 할 수 있을 만큼 그의 능력이 대단한 것
도 아니고!

간절히 다짐하건대 그는 시즈탱크가 될 것이다. 안전한 곳
에 진득이 앉아 가끔씩 슬라임이나 터트리면서 요마대전 3 본
편이 진행되는 것을 구경할 것이다.

고생이란 고생은 주인공이 다 하도록 놔두고 가끔씩 그가 모르게 길이나 치워주면서, 세월이 흘러 충분히, 그 이상으로 강해진 샤인과 벨루아에게 일을 떠넘길 것이다! 기필코 그렇게 할 것이다!

"도련님이 퍽이나 그렇게 하시겠습니다……. 그럼 지금은 뭡니까? 지금 세대의 주역은 그 할아버지들입니까?"
"지금? 지금은…… 응, 그렇지. 너희 전 세대의 황혼이지."

원래 마화족은 족히 수십 년도 더 전에 완전히 정리되었어야 할 구시대의 유물이다.
그런데 그것이 아직까지 남아 속을 썩이고 있었으니, 이렇게 말하면 좀 죄송하긴 하지만 그래도 애프터케어까지는 그 영웅들께서 직접 해주셔야 하지 않겠는가!

'아직 신 시리즈의 주인공들이 제대로 성장하지도 못했으니 말이야…… 힘들겠지만 부디 잘 부탁해요, 할아버지.'

에반이 그렇게 생각하며 지금쯤 도시 외곽에 마련한 공터에서 마화족의 여왕과 대치하고 있을 영웅들의 면면을 떠올리는데, 그런 그를 바라보던 기사단장이 피식 웃곤 그의 말에 반박했다.

"아닙니다, 도련님. 전 세대의 황혼이라니, 당치도 않아요."

"응?"

"신세대의 여명입니다, 도련님. 도련님께서 스스로 그것을 증명하고 계시지 않습니까."

"신세대의 여명? 누가요, 제가요?"

기사단장은 굳이 입 아프게 말할 필요도 없다는 듯이 고개를 끄덕였다. 에반은 질색했다.

"아니, 전 주역 안 할 건데요. 전 타고난 엑스트라라서 그런 거 못 해요. 그러니까 괜한 기대 하지 말아요, 기사단장."

"하하하, 도련님은 여전히 재치가 넘치십니다. 어디 세대의 주역이라는 것이 본인이 하고 싶다고 할 수 있는 것이겠습니까. 또 본인이 싫다고 피할 수 있는 것이겠습니까."

그는 에반이 건넨 인벤토리 포켓을 정성스레 품에 갈무리하며 재차 웃었다.

"도련님께서는 그대로 계시면 됩니다. 자연스레 깨닫게 되시는 날이 올 테니까요."

"아니, 지금 단단히 착각하고 있다니까······."

난 엑스트라일 뿐이라니까? 그러나 기사단장은 그의 변명에도 한바탕 시원하게 웃으며 몸을 돌렸다. 기사단원들과 함께 던전에 들어가려는 것이다.

"반드시 임무를 완수하고 돌아오겠습니다."
"……부탁해요."

지금 시간이 없는 것이 원통할 따름이다. 나중에 던전에서 돌아오면 다시 그를 앉혀놓고 자신이 엑스트라라는 사실을 납득시켜야지, 에반은 그렇게 생각하며 그를 보냈다.

"후, 어쨌든 이걸로 끝이다. 맘 같아선 할아버지가 무사히 장미여왕을 해치웠나 확인하고 싶지만…… 아무리 그래도 너무 졸리고 피곤해. 후아암."

해야 할 일을 다 마쳤다는 생각이 들자 절로 하품이 났다. 버나드와 함께 몇 날 며칠 제대로 잠도 자지 못하고 약의 개발에 매달렸던 탓에 지금 그는 극도의 피로감에 시달리고 있었다.

"그래도 씻고 주무셔야죠, 도련님. 형제목욕탕에 들어갔다 나오면 개운해지실 겁니다."
"으으, 귀찮은데…… 그래, 알았어. 목욕탕 갈 준비할 테니까 너도 준비해서 와."

"알겠습니다."

샤인은 에반이 윗옷을 벗는 모습을 보며 고개를 끄덕이곤 물러났다. 그러나 방문을 닫기 전 고개를 빼꼼 내밀고는 에반에게 말했다.

"아, 주무시고 일어나서는 내일 저랑 같이 축제 가시는 겁니다. 그래도 축제에 하루도 참석하지 못하는 건 아쉽지 않습니까."

"그런 말은 기왕이면 여자애한테 듣고 싶었는데."

"벨루아와 아리샤 아가씨도 단단히 기대하고 있습니다."

"네가 아리샤 맡아줄 거야?"

"하하, 농담도."

농담이 아니었는데, 중얼거리는 에반을 놔두고 샤인은 그대로 문을 닫고 사라졌다. 에반은 샤인을 욕하며 부츠를 벗었다.

순식간에 스테이터스가 두 배로 확장되며…… 보다 정확히는 원래 수준으로 돌아오며 그에게 기력을 조금 불어넣어줬으나, 스테이터스가 늘어난다고 피로감이 회복되는 것도 아니었기에 그래 봤자였다.

"……음?"

하지만 그로 인해 기감의 영역 또한 원래 수준으로 확장되었고, 에반은 그 덕에 저 멀리서부터 자신을 향해 날아드는 무언가의 존재를 감지할 수 있었다.

"음?"

그는 본능적으로 한 손을 뻗었다. 그러자 창 너머로부터 빠른 속도로 날아든 작은 뭔가가 그의 손에 잡혔다. 지구였더라면 당장 야구 메이저리그에 출전할 수 있을 만큼 완벽한 캐치!

"으으으음?"

분명 그것은 살아있는 무언가였지만, 에반은 그 익숙한 그립감에 무심코 그것을 세게 쥐고 말았다. 그 무언가는 단말마를 내지를 틈도 없이 터져 죽고 말았다.

"아."

뒤늦게 자신이 한 짓을 깨닫고 감탄사를 흘리는 에반. 그의 손에서 피가 주륵 흘렀다. 물론 에반의 피가 아니라 그에게 잡혀 죽은 무언가가 흘린 피였다.

"이런, 길을 잃고 헤매던 새였어…… 뭐야, 자꾸?"

그러나 그것으로 끝이 아니었다. 창 너머로부터 뭔가가 자꾸 연달아 날아들었다!

에반은 고개를 갸웃하면서도 자신의 극한에 이른 기감을 활용, 그것들을 전부 잡아냈다. 잡는 순간마다 반쯤 본능적으로 세게 쥐어 터트리는 것은 덤이었다! 지금 부츠를 신고 있지 않아 마격을 발동하지 못하는 것이 한일 따름이다.

[여, 역시 네놈에게도 뭔가가 있었구나!]

"응?"

그때 어디선가 들려온 목소리에 에반은 재차 고개를 갸웃했다. 이미 그의 양손은 새카만 피로 범벅이어서 멀리서 보고 있으면 섬뜩할 만큼 무서웠다.

[하지만 여왕의 명령은 절대적인 것. 그분께서 연금술사의 제자를 죽이라 분부하셨으니, 네놈은 여기서 반드시 내가 죽인다!]

"엇!"

여태까지 날아들었던 다른 것들에 비해 압도적으로 빠른 속도로 그를 향해 뭔가가 날아들었다!

어찌나 강한 충격이었으면 창문이 산산조각 나고, 방 안의 집기란 집기는 모두 그 충격에 휘말려 떨어지고 깨질 정도였다.

"웃차."

[컥!?]

그러나 그것이라고 에반의 손아귀로부터 벗어날 수는 없었
다. 에반은 자신의 안면을 노리고 날아든 그것을 강한 악력으
로 붙잡아, 그 정체를 확인했다.

[이, 이놈, 어떻게 나를! 그 어린 나이에 이 끔찍한 힘을 감
추고 있다니…… 저, 정체가 무엇이냐!]

"뭐야, 던전박쥐잖아?"

던전박쥐란 거의 모든 종류의 던전에서 심심치 않게 볼 수
있는 던전 몬스터의 부류였다. 대개 흡혈 능력을 갖추고 있으
며, 작고 볼품없는 외관에 비해 상당한 전투력을 지니고 있어
처음 상대하는 이들은 애를 먹게 마련이었다.

더구나 던전에 나타나는 몬스터가 흔히 그렇듯이 변종, 강
화종, 진화종, 때론 그 모두가 섞여 나타나는 초특급 엘리트
까지도 존재했기에 결코 얕볼 수 없는 몬스터였는데…… 설
마 그중에 말을 할 줄 아는 변종까지 섞여 있었을 줄이야!

"큿, 쉽게 안 죽네. 이건 마격이 필요하겠는데……. 부츠 괜
히 벗었네, 젠장."

[이 목숨 여기서 잃는 한이 있어도 네놈을 반드시 죽이겠
다! 그것이 여왕의 분부…… 칵!]

설마 여태까지 단련한 악력으로 죽일 수 없는 던전박쥐가 있었을 줄이야.

에반은 그 사실에 놀랐으나 곰곰이 생각해보면 마격을 발동할 수 없는 지금, 그가 써먹을 수 있는 스킬이 하나 있었다.

[끄아아아아악!]
"오, 오오. 이거 꽤 발동하는 느낌이……."

그렇다. 그것은 바로 에반이 던전에서 얻어 나온 유일한 액티브 스킬, 헤븐 프레스!

신들이 그 스킬을 하사할 때만 해도 대체 이 스킬을 어디에 쓰나 의아할 따름이었지만, 마격을 발동할 수 없는 상황에 그것 대신으로 쓰기에는 제법 괜찮을지도 모르겠다는 생각이 들었다.

뭣보다 스킬을 발동하는 순간의 이 강한 그립감이 썩 마음에 들었다!

[끄아아아아아아! 여, 여왕 폐하……!]
"박쥐한테 여왕도 있냐?"

아니지, 내가 지금 너무 피로한 나머지 환청을 듣고 있나? 요 며칠 하도 바쁘게 움직이고, 더욱이 요마대전 2의 신화적인 인물들과 대화를 나누는 것이 일상이 되어 현실감각이 조금 없어진 것일지도 모르겠다.

에반은 반성하며 손아귀에 힘을 더욱 꽉 주었다. 그도 몰랐는데 헤븐 프레스는 발동하면 손아귀에서 눈부신 빛이 쏟아지는 실로 괴상한 스킬이었다. 그러나 그 효과만은 실로 굉장하여, 토실토실한 던전박쥐가 그의 손아귀에 붙잡혀 옴짝달싹도 못 하고 괴로워했다.

"도련님, 같이 가시…… 이게 뭡니까!"

방문을 열고 들어온 샤인은 방 안에서 벌어진 심상치 않은 일들을 눈치채곤 표정을 딱딱하게 굳혔다. 설마 자신이 자리를 비운 아주 잠깐 동안 이런 일이 벌어지다니!?

그러나 여전히 졸음에 취한 채인 에반은 박쥐를 쥔 손에 힘을 더하며 어깨를 으쓱일 뿐이었다.

"몰라, 그냥 갑자기 던전박쥐들이 막 안으로 들어오더라고. 그래서 다 잡아 죽였어."

"평범한 던전박쥐가 정확히 도련님의 방을 노리고 습격해 올 리가 없지 않습니까! 거기 아무도 없어!? 도련님이 습격을 받으셨다! 당장 기사들을 부르고 후작 각하와 다른 가족분들의 안위를 파악해!"

에반이 영 못 써먹을 상태라고 즉각 판단을 내린 샤인은 곧장 다른 사람들을 소리쳐 부르곤 자신은 에반에게 다급히 다가갔다.

그러나 그가 에반을 더 걱정하고 있을 필요는 없었다. 이제막, 던전박쥐의 목숨 줄이 끊어지고 있었으니까.

[이럴, 수가……. 폐하, 이곳, 가장 끔찍…… 괴물, 이…….]
"이 자식 말까지 하잖아!?"
"아, 너한테도 들려? 그럼 환청은 아니겠…… 어, 죽었네?"
[괴, 물 자식이……!]

그것이 마지막이었다. 박쥐는 헤븐 프레스의 눈부신 빛 속에서 깔끔하게 터져 죽었다.

에반은 그 순간 전신에 활력이 차오르는 것을 느끼곤 설마이 박쥐 한 마리 잡은 걸로 존재레벨이 많이 오르기라도 했나, 하고 어리둥절해 고개를 갸웃했다.

"이상하다, 던전레벨도 아니고 존재레벨이 올라서 이렇게 상쾌한 기분을 느끼려면 사천왕 정도는 잡아야 되는데……? 내가 졸려서 그런가."

"도련님, 진짜 괜찮으신 겁니까!? 어디 물리거나 하신 곳 없어요?"

"도련님!"

"에반!?"

샤인이 에반의 전신을 더듬으며 그의 무사를 확인하던 그때 뒤늦게 방 안으로 벨루아와 아리샤를 비롯한 에반의 가족들이 우르르 밀려 들어왔다.

다행히도 습격을 받은 것은 에반 혼자뿐인 모양이었다. 그도 당연한 것이 후작가 인물들 중에서 버나드와 깊은 관계를 맺고 있는 것은 에반뿐이었으니!

"아니, 이게 무슨……."

"에반, 정말 괜찮은 것이냐!?"

창문은 깨지고, 방 안의 물건들은 죄다 부서지고. 난장판이 된 방을 아연한 표정으로 둘러보던 후작이 다급히 에반에게 달려들었다.

그러나 에반은 피투성이가 된 양손을 들어 보이며 가볍게 웃을 뿐이었다.

"진짜 괜찮아요. 던전박쥐 정도는 저도 얼마든지 잡을 수 있다니까요, 아버님."

"던전박쥐가 삼엄한 경계를 따돌려 에반의 방을 노리고……? 그건 마화족, 마화족이구나! 던전박쥐를 침식한 마화족임이 분명해!"

"에이, 마화족에 침식당한 몬스터의 능력이 얼마나 크게 성장하는데요, 그랬으면 제가 못 죽이죠."

에반은 역시 아버님은 농담도 잘하신다며 순진하게 헤헤 웃었다. 그러나 그 섬뜩하리만치 순수한 미소와 마주한 다른 이들은 그 순간 확신했다.

지금, 이름 모를 마화족들이 이 자리에서 에반에게 씨몰살을 당했으리라고!

※ ※ ※

갑작스레 날아든 주사기를, 여왕은 처음 한 발은 어떻게든 피했다. 아니, 충성스러운 신하가 그녀를 대신해 맞았다.

하지만 다음 것은 피할 수 없었다.

"큭……!?"

여왕의 어깨에 꽂힌 주사기가 그 내용물을 순식간에 여왕의 몸속에 흘려보냈다. 그것은 마화족에게 있어선 극독이요, 정신을 혼미하게 하는 마약이었다.

"성공이다. 일로인."
"견제는 맡겨줘요."

곧 무시무시한 속도와 끔찍한 위력을 함께 품은 화살이 마화족들을 향해 소나기처럼 쏟아져 내렸다.

일이 잘못되었음을 직감한 마화족들은 보호막을 펼쳐 여왕을 지켰으나 화살과 함께 섞여 날아드는 주사기가 한 방, 또 한 방 마화족들의 몸에 꽂히며 그들의 기운을 앗아갔다.

"빌어먹을, 연금술사가……!"
"어째서 들킨 거지! 어떻게 우리를……!"
"헹, 설명해주면 납득은 할 테냐? 레오, 됐다! 이제 나서라!"
"오냐!"

원거리 공격 세례로 마화족의 발이 붙들린 때 공신의 사제 아리아의 보조주문을 받고 능력이 증폭된 레오 아르페타가 대검을 꼬나쥐고 놈들을 덮쳤다.

"그래도 여기까지 얌전히 와줘서 고맙구나!"

절대자의 무지막지한 기세가 마화족들을 찍어 눌렀다. 에반은 레오가 약해진 것이 아닌가 했지만 전혀 그렇지 않았다. 팽팽하게 부풀어 오른 근육으로 가득 찬 그 육신은 젊은 시절 못지않게 흉악한 병기 그 자체였다.

"그래그래, 얼굴은 새롭지만 느껴지는 마력들이 익숙하구만! 하지만 힘들은 어째 이전보다 더 약해진 것 같은데, 아니, 내가 강해진 건가? 흐핫!"

"레오 아르페타……!"
"어떻게 네놈이 우리를 먼저!"

마화족들 역시 이를 갈며 그에게 대적했으나 애초에 기습
을 허용한 것이 너무나 큰 실책이었다.

"끄학!"

그의 습격을 정면에서 받아낸 마화족 한 명이 핏물이 되어
흩어지고, 나머지 마화족들도 마치 거대한 무언가에 받힌 것
처럼 뒤로 쭉 밀려났다. 실로 끔찍한 힘이었다.

"여, 여왕님을 지켜라!"
"큭, 힘이 빠진다. 여왕 폐하……!"

더구나 버나드가 총으로 쏘아낸 주사기, 그 안에 담긴 용액
이 마화족들에게 너무나 치명적이었다.
지나친 독기에 마기가 가닥가닥 끊기고, 세포가 괴사해 레
오에게 제대로 대항하지도 못하고 당하게 만들었다.

"여, 연결이 희미해지고 있어."
"인간들이 어찌 이런…… 마, 마화족의 근원이!"

그러나 가장 심각한 피해는 바로 장미여왕과 수하들을 잇는 마기의 연결이 끊어지고 있었다는 것이다.

본디 마화족은 장미여왕이라는 모체와 이어져 그녀로부터 마기를 받아 움직이는데, 지금 그 근원의 연결이 끊어지고 있었던 것!

"어떻게!? 다시는 네놈의 독에 당하지 않기 위해 무수한 변종을 만들어내, 끝내 생물로서의 진화를 이룩했는데……!"

어깨에서 주사기를 뽑아낸 여왕은 체내 마기를 증폭시켜 어떻게든 약 기운을 태워버리려 애쓰며 이를 악물었다.

그러나 이미 한 번 끊어진 여왕과 수하들 사이의 연결은 회복되지 않았다. 여왕이 주사기를 맞은 순간, 이미 게임은 끝나 있었던 것이나 마찬가지였다.

"마화족이라는 '종' 자체는 분명히 내가 만든 약에 전멸당하지 않을 만큼 세련된 진화를 이루었다. 인정하지. 이제 나 개인에겐 너희 종족을 전멸시킬 능력이 없다. 아마 앞으로도 없을 것이다."

버나드는 장전된 주사기를 모조리 쏘아내 여왕을 비롯한 마화족들의 몸뚱이에 족히 한 발 이상씩은 그것을 꽂아 넣고서야 총을 내려놓았다. 그의 입가에 스산한 미소가 걸려있었다.

"하지만 너희는 그 외에도 약점이 있다. 바로 장미여왕, 너라는 모체에 지나치게 의존하는 종족이라는 점이지. 그것을 알면 해답은 간단하지 않은가. 네년을 직접 공략할 뿐이다."

"네, 네놈……!"

"약의 전염성을 포기한다면, 개체로서의 네놈들…… 그 가운데에서도 너, 장미여왕을 약화시키는 약을 만들어내는 것은 그리 어렵지 않다. 더구나 네놈들이 우리를 겪어 데이터를 얻었듯이 우리도 네놈들을 겪어 충분한 양의 데이터를 마련했거든. 특히 너, 여왕."

버나드는 검고 둔탁하게 빛나는 권총 하나를 뽑았다. 그 안에는 여왕을 위한 특제 약이 담긴 탄환이 장전되어 있었다.

그것은 그가 수십 년 세월을 걸쳐 개발하고, 바로 얼마 전에반의 도움을 받아 완성시킨 약이기도 했다.

"여왕, 넌 진화 과정에서 딱 한 가지 실수를 했다. 개체의 개성을 살리기 위해 다소 무리를 한 결과, 그 반작용으로 자식들과의 연결점이 조금 희미해졌다는 거지. 생각해보면 그도 당연한 일이지?"

"……!"

"그것을 알게 된 순간 난 내 포션에 아주 조금 부족했던 부분을 네년이 스스로 채워줬다는 사실을 깨달았다. 즉 지금의 파멸은 너와 내가 함께 만들었다는 것이지. 재밌지 않으냐?"

"연금술사……! 연금술사! 버나드……!"

과거, 여왕은 본체가 죽게 되자 자신과 연결된 다른 자식의 몸에 씨앗을 심어 도주했다.

버나드는 그 근본적인 문제점을 어떻게든 해결하지 않는 한, 다시 여왕을 죽여도 결국 그 과거가 되풀이될 뿐이라는 사실을 알았다.

이것은 그래서 개발한 약이었다. 여왕과 다른 자식들 사이의 근원의 연결을 완전히 끊어놓는 약. 여왕을 완전한 개체로 독립시켜버리는 약.

"이번에야말로 정말 끝이다, 장미여왕."

"칵!"

화살이, 대검이, 공간의 족쇄가 동시에 마화족 무리를 덮치는 가운데, 버나드가 쥔 권총이 정확히 여왕의 미간을 노렸다.

버나드는 뜸을 들이지도, 중요한 순간 실수를 하지도 않았다. 그가 바로 쏘아낸 권총의 탄환이 장미여왕의 미간을 꿰뚫었다.

여왕이 그 자리에 쓰러지는 것을 본 마화족은 일부는 경악하고, 일부는 분노했으며……

"핫!"

일부는 도주를 시도했다!

"저거 잡아!"
"안 그래도 붙잡고 있어요! ……어머?"

공간의 사제 아리아가 전 방위로 강력한 공간의 압력을 만
들어내 마화족들을 짓눌렀으나…… 놀랍게도 마화족 가운데
둘이 실로 놀랍게도 인간의 껍데기를 벗어던지고 작디작은 동
물의 모습이 되어 그 공간을 유유히 빠져나갔다!

"변종이라더니 진짜 갈 데까지 가버렸잖아!"
"일로인!"
"흡!"

일로인의 화살이 도주하는 자들의 뒤를 숨 가쁘게 쫓았다.
그러나 도주하던 이 중 한 명이 황당하게도 다른 한 명을 방
패로 삼아 일로인의 화살을 모조리 막아내곤 끝내 큰 거리로
숨어들어버렸다. 완전히 처음부터 도주할 계획을 짜고 왔다
고밖엔 말할 수 없는 움직임이었다.

"뭐 저래? 얘네 여왕한테 충성하는 애들 아니었냐?"
"바보 레오 놈아, 내가 방금 말했잖냐. 여왕과 자식들의 연
결이 희미해진 상태였다고. 아마 저 녀석만이 아닐 거다. 지

금 세상에 살아남아있는 다른 마화족도 여왕으로부터 독립한 것을 오히려 기뻐하고 있을 수도 있다."

"이래서야…… 개체로서는 강해졌을지 몰라도 이전의 그 독기로 똘똘 뭉쳤던 마화족보다는 훨씬 연약해져버렸는데."

맞는 말이다. 버나드에게 복수를 하겠다는 여왕의 집착이 마화족을 마화족이 아닌 다른 무엇인가로 만들어버렸다.

물론 그럼에도 불구하고 저들이 지닌 힘은 여전히 인류에게 치명적이었지만 말이다.

"더욱이 우리가 한 놈을 놓쳤다는 것도 명백한 사실이고. 일단은 대기하고 있던 후작가 기사들에게 알려야 한다. …… 에반한테 엄청 혼나겠군."

"흐, 제자한테 잡혀 사는구만."

"시끄럽다, 이놈아. 코앞에서 적을 놓친 놈이 뭘 잘했다고 떠들어! 넌 안 혼날 줄 아냐!"

버나드는 짜증을 내면서도 부지런히 권총을 쏘아 그 자리에 아직까지 살아남아있던 마화족들을 깔끔하게 정리했다.

그러고도 남은 탄환은 모조리 여왕의 시체에 쏟아부었다. 안 그래도 너덜너덜했던 여왕의 시체가 반쯤 녹아내리고 말았다.

"이미 죽었잖냐. 생명반응도 없다."

"저번에도 그렇게 방심하다가 당했다. 바로 방금도 그렇게 한 놈 놓쳤고. 더구나…… 아니, 아니다. 어쨌든 죽은 것만은 확실하니까. 이제 세상엔 다시 장미여왕이 나타나는 일이 없을 거다."

"쌥, 진짜 끈질긴 여자였어…… 내 타입은 아니다."

"그것참 마음이 맞는구나, 빌어먹을 놈아. 내 타입도 아니다."

버나드는 레오의 보호를 받으며 신중히 여왕의 사체에 접근했다.

그런데 그때, 여왕의 사체로부터 불쑥 튀어나온 가시넝쿨이 레오가 반사적으로 내민 대검을 가볍게 부숴버리곤 버나드의 손목에 휘감겼다!

"젠장, 버나드!"

"……괜찮다, 그리 놀랄 것 없어. 여왕은 침식과 번식 능력을 완벽하게 상실했으니까. 이건 그냥…… 저주다. 여왕의 단말마 같은 거다."

버나드의 말마따나 그것이 마지막 발악이었던 깃일까, 가시줄기가 버나드의 손목에 휘감기며 본체와의 연결이 끊어지더니, 여왕의 사체는 완벽하게 녹아내려 사라졌다.

다른 마화족의 사체도 흔적도 없이 사라지고, 결국 남은 것은 그의 손목에 둘둘 말린 가시줄기뿐이었다. 그 모양새가 꼭 팔찌처럼 보이기도 했다.

"버나드! 괘, 괜찮아요!?"
"괜찮다니까. 그리 걱정할 것 없소."

일로인이 다급히 다가와 버나드의 손목을 붙잡았다. 가시줄기의 일부가 버나드의 손목에 살짝 박혀있는 것이 보였다. 그러나 버나드의 안색은 태연했다.

"내 체력과 마력을 빨아먹고는 있는데…… 그리 심각한 수준은 아니니 걱정 마시오. 이 정도 저주는 내가 너끈히 감당할 수 있으니까."
"아니, 그래도 저주는 저주잖아요! 제가 당장 정화를…… 이런, 신성력이 조금도 통하질 않잖아요! 제 신성력으로도 어떻게 안 된다면 이건 누구도 손을 댈 수가 없는 건데……."

저주받은 아티팩트. 에반이 이 자리에 있었다면 그렇게 불렀을 것이다.
저주받은 아티팩트가 나타나는 방식은 무척 다양하지만 지금 이것은 강력한 마나를 지닌 존재가 지독한 원념을 남기고 죽었을 때에 나타나는 것으로…… 그중에서도 요마대전 2의 라스트 보스였던 장미여왕이 남긴 물건인 만큼 지독히도 강했다.

"이걸 대체 어떻게 해요, 버나드……! 레오, 당신은 그거 하나를 감당 못 해서!"

"방금 내가 대검으로 막는 거 못 봤어!? 내 비싼 대검 부서진 거 봐라, 대검! 내가 못 막는 거면 전신이 와도 못 막아, 이건!"

소중한 동료가 눈앞에서 저주에 당하는 것을 본 아리아는 눈에 쌍심지를 켜고는 제 남편의 등을 퍽퍽 때렸다.

그러나 비장의 카운터 스킬까지 발동시켜가며 그것을 막으려 했던 레오는 억울할 따름. 그때 저주에 당한 장본인인 버나드가 레오의 편을 들었다.

"레오 말이 맞아. 목숨을 바쳐 남기는 저주가 원래 그래. 인간의 힘으로 막을 수 있는 것이 아니오. 순응하고 받아들여야 하는 것이지."

"……혹시 이렇게 될 것을 예감하고 있었나요, 버나드?"

일로인의 물음에 버나드는 천천히 고개를 끄덕였다.

"저주는 다른 무엇보다도 자신과 상대를 강력하게 잇는 연결이오. ……솔직히 직감했다고밖엔 말할 수가 없군. 피할 수 없다는 것도 알았고. 어떻게든 지워보려 했지만 실패했으니,

받아들인 것뿐이오. 적어도 내가 이렇게 거두면, 다시는 장미 여왕이 바깥에 풀려나지 않을 테니까."

"이런 바보 같으니⋯⋯."

"버나드⋯⋯."

일행이 나지막이 탄식했으나 버나드의 표정은 태연한 채였다. 그는 정말로 아무렇지도 않았다.

이건 그의 목숨을 앗아가는 저주도 아니었을뿐더러, 설령 그의 목숨을 앗아간다 해도 그로써 장미여왕이 부활할 수 있는 것도 아니었다.

"난 지금 비로소 밀린 숙제를 해치운 기분이오. 내 손목에 말려버린 이 가시는 아마 문제 해결이 늦어진 것에 대한 페널티겠지. ⋯⋯그러니 그런 표정 지을 것 없다, 레오. 어차피 일상생활에는 아무 문제가 없을 테고, 장미여왕까지 해치운 지금 또 내가 직접 몸을 움직일 일은 없을 테니까."

"이 망할 놈, 나랑 같이 세상에 남은 마화족을 사냥하러 가야 할 것 아니냐."

"일없다, 이놈아. 난 이제 정말 할 만큼 했다. 이젠 이 도시에서 에반에게 연금술이나 가르치며 여생을 보낼 것이다."

"⋯⋯버나드."

레오는 친구의 완고한 모습에 쩝, 입맛을 다셨다.

그가 죄책감을 느끼지 않게 하려고 이런 말을 골라서 한다
는 생각이 들었지만…… 그렇다고 그에게 '진심을 말해!'라고
소리 지르며 멱살을 붙잡고 흔들기엔 서로 나이를 너무 많이
먹었다.

"네 생각이 그렇다면 알겠다. 진짜 그 물건이랑 관련해서
뭔가 큰일이 생기면 즉각 나한테 보고해야 한다, 알겠냐?"
"헹, 네놈이 알면 뭐가 달라지기라도 하겠냐? 넌 방금 놓친
마화족까지 포함해서 남은 마화족이나 잡으며 신나게 뺑이나
쳐라."
"이 자식이?"

두 오랜 친구는 결국 서로의 목을 조르며 씨름을 하기 시작했
다. 아리아는 그런 둘을 보며 쓴웃음을 지었고, 일로인은……
오직 버나드의 얼굴을 뚫어져라 바라만 보고 있었다.
그렇게 해서 오랫동안 보류되었던 위대한 전쟁의 결말이
지금, 이 자리에서 맺어졌다.
물론 아직까지 남은 등장인물들이 있었지만…… 그들을 처
리하는 것은 아마 신세대의 몫이 될 터였다.

"결국 현장에서 도주한 마화족은 발견하지 못했습니다. 하

지만 던전에 돌입한 기사들은 30층까지 무사히 약을 살포하는 작업을 마쳤습니다. 낙원유랑 길드, 피닉스 길드의 도움을 받아 던전에 기어든 마화족 잔당을 발견, 소탕했습니다."

"30층까지, 그 정도면 충분하겠죠."

에반은 아이언월 나이츠의 보고에 고개를 끄덕였다. 기사는 한 번 의례적으로 고개를 숙여 보이곤 보고를 이어갔다.

"기사단장 미하일 디 에어로크는 낙원유랑, 피닉스의 정예들과 함께 30층 이후로 진입해 약의 살포 작업을 계속하고 있습니다. 이 작업이 끝나고 나면 앞으로 셰어든에는 결코 마화족이 발을 붙이지 못할 것으로 판단됩니다."

"그러나 아직 확신할 수는 없지. 약의 실효는 확인했다지만 어디에나 예외는 있는 법. 당분간은 경비체제를 강화하여 삼엄한 경계 상태를 유지해야 할 것이다."

"예, 알겠습니다!"

보고를 마친 기사는 후작의 추상같은 명령에 즉각 경례를 붙이곤 뒤로 물러나 사라졌다.

기사가 완전히 물러가고 나서야 후작은 비로소 후우, 짙은 한숨을 내쉬며 고개를 떨구었다. 지치기는 그도 마찬가지였다.

"그래도 빨리 손을 쓴 덕에 어떻게든 될 것 같구나."

"하지만 전 역시 현장에서 도망쳤다는 그 마화족 간부가 마음에 걸려요. 만약 놈이 던전 심부로 기어들어 가서 침식을 시도하고 있다면 어떻게 하죠?"

"우리 던전은 삼엄한 경계를 실시하고 있었으니 그런 걱정은 할 필요 없다, 에반."

에반의 걱정과 엄살이 심하다는 건 이미 정평이 나 있었다. 물론 그만큼 그가 꼼꼼하게 모든 일을 챙기는 성격이라는 증거이기도 했지만……

적어도 이번 일에 한해선 쓸모없는 걱정이다. 후작은 단호히 고개를 저어 보이며 말했다.

"더구나 영웅들과의 전투에서 도주하느라 육신까지 벗어던져야 했던 마화족은 결코 던전으로 들어갈 수 없었을 것이다. 인파 틈에 섞여 이미 도시를 빠져나갔으리라 보는 것이 타당하지."

"도시 밖으로……."

"그래."

후작은 던전도시 인근 지형을 묘사해놓은 지도를 꺼내어 에반에게 보여주며 설명했다.

"보거라, 에반. 우리가 파악하고 있는 인근의 던전은 이렇게 여섯 개가 된다. 굳이 손을 댈 필요가 없어 놔두고 있던 곳이지만, 이번에 기사와 병사들을 추려 이곳을 모조리 소탕할 생각이다. 하지만 난 아마 이곳에서도 마화족을 찾을 수 없으리라 예상하고 있다."

"놈이 이미 완전히 먼 곳으로 도주했다…… 그런 말씀이신가요?"

"바로 그거란다."

그리고 그 이유는 굳이 설명할 필요도 없이, 바로 이곳에서 영웅들에 의해 장미여왕이 죽었기 때문이다.

마화족에게 있어서는 현재 전 세상에서 가장 위험한 지역이며, 가능한 한 빨리 멀어져야 할 장소에 지나지 않았다.

"앞으로 놈들은 최대한 눈에 띄지 않는 곳에 숨어 세력을 불리려 하겠지. 언젠가는 던전도시를 노릴지도 모르겠지만 적어도 그것은 지금이 아니며 하물며 셰어든은 결코 아닐 것이다."

"……다른 던전도시도 마화족을 잘 막아내야 할 텐데요."

"장미여왕은 완전히 죽었다. 펠라티도 메르딘도 약화된 마화족에게 던전을 내어줄 정도로 약하지는 않아. 그러니 너무 걱정하지 말거라."

"그렇겠죠?"

"물론이지."

펠라티와 메르딘은 마화족의 위험성을 충분히 파악하고 있다. 마화족은 그 어느 땅에도 발을 붙이지 못하고 떠돌다 끝내 완전한 멸종을 맞이하게 될 것이다. 반드시 그렇게 되어야만 했다.

"그리고 그게 네가 만든 포션 덕분이지, 에반."

"버나드 할아버지랑 같이 만든 거예요. 저 혼자서는 절대로 만들 수 없었던 물건이에요."

"그래그래, 물론 알고 있다. 어쨌든 정말 고생이 많았구나, 우리 아들."

후작은 에반의 등을 토닥여주고는 말했다.

"하지만 이번 일의 시작부터 끝까지 네 역할이 상당했음을 부인할 수 없으니, 뭐든 원하는 것이 있으면 말하거라. 내 이번만은 네가 무슨 청을 해오든 전부 이루어줄 각오가 되어 있으니 무엇이든 개의치 말고……."

"그러면 던전에 들어가게 해주세요, 아버님."

"으음."

후작의 입이 딱 다물렸다. 그러나 에반은 진지한 눈으로 후작을 바라보며 재차 말했다.

"던전에 들어가게 해주세요, 아버님. 전 강해지고 싶어요. 강해져야 하구요. 샤인과 벨루아, 라이한 형은 더더욱 그렇습니다."

"······그래, 알겠다. 네 생각이 그리 확고하다면 내가 더 이상 말릴 수가 없구나."

무슨 청을 하든 전부 이루어주겠다 했으니 이제 와 그것을 물릴 수도 없는 노릇. 후작은 씁쓸한 표정을 지으면서도 끝내 고개를 끄덕이는 수밖에 없었다.

더욱이 이번에 에반은 자신을 습격해온 마화족 부대를 태연한 얼굴로 전멸시키지 않았던가? 그런 그에게 후작이 던전은 위험하다며 말리는 것은 모양새가 우스운 것도 정도가 있었다.

"던전에 들어가거라. 네 말이 옳다, 에반. 이미 아이 수준을 벗어난 너에게 지나치게 기대고 있으면서도, 이런 부분에 한해서만 아이의 기준을 들이대는 것은 가혹한 일이지. 너의 뜻대로 하거라."

"고마워요, 아버님!"

"단 지금은 안 된다. 아직 던전 안에 마화족이 남아있을지도 모르니 조금 시간을 두어라. 그리고······ 아직 축제는 하루가 남지 않았느냐. 즐기고 오거라."

"아······ 그렇네요."

지금 시간대는 아침. 축제 마지막 날의 아침이었다.

바로 어제 세상을 멸망으로 이끌고 갈 뻔한 존재가 이 도시에서 죽었지만, 대부분의 사람들은 그것도 모르고 태연히 오늘을 즐기고 있었다.

"그래, 너무나 다행한 일이지. 저들이 계속 저렇듯 아무것도 모르고 평화롭게 살아갈 수 있도록 하는 것이 우리 귀족, 다스리는 자의 몫이란다, 에반. 언제나 네가 그렇게 하고 있듯이 말이다."

"아버님은 항상 과장이 심하세요. 전 언제나 다른 사람들 힘을 빌리고 있을 뿐인데요."

에반은 자신을 과대평가하는 후작의 말에 씁쓸하게 웃으며 대꾸했다. 하지만 후작의 생각은 달라지지 않겠지. 그를 좋게 보기로 작정하고 있으니 지금은 무슨 말을 해도 깨닫지 못할 터다.

그래서 무서웠다. 엑스트라에 불과한 에반의 한계를, 그의 진짜 배역을 깨닫고 후작이 실망하게 될 순간이. 그때 가서 그것 보라고, 나는 이것밖에 안 되는 존재라고 말하고 다닐 수도 없는데 말이다…….

"에반, 아버지와 이것 하나만 약속해주었으면 한다."

"네?"

그런데 이번엔 후작의 반응이 사뭇 달랐다.

후작은 고개를 낮추어 에반과 시선을 맞추며 진지한 표정으로 말했다.

"사람들이 너를 어떻게 평가하건, 그래. 네가 그것에 신경을 쓰고, 거기에 영향을 받아 자신을 연출할 필요는 없다. 하지만 에반, 너 스스로 자신이 별것 아니라고 생각해서는 안 된다."

"그건⋯⋯."

"에반, 모든 이는 자기 삶의 주인공이다. 조연 따윈 누구 하나 없어. 그 누가 뭐라고 하든, 너는 네 인생의 주인공인 것이다. 알겠느냐?"

"⋯⋯아버님."

에반은 말을 잃었다.

여기서 그가 사실 이 세상은 게임이었고, 그 게임 속에서 자신은 언제나 비참한 죽음을 맞이할 뿐인 엑스트라였다고 설명할 수는 없는 노릇이지 않은가.

하지만⋯⋯ 어쩐지 지금 후작이 말하는 것은 그것과는 관계가 없는 문제가 아닌가, 하는 생각도 조금 들었다.

"조금 더 스스로를 인정하거라. 보다 스스로를 사랑하거라. 자신의 가능성을 믿고, 능력을 믿고, 물론 안전에는 조심하되, 도전해야 할 일에는 도전하거라. 물러나지 말거라. ⋯⋯

미래의 네 앞에 어떤 미래가 기다리고 있든, 그것을 벌써부터 두려워하지 말거라."

"……."

"알겠느냐?"

"네, 아버님."

아니, 실은 아직 알지 못한다. 그는 결코 주위 사람들이 판단하는 자신을 납득하고 받아들일 수 없었으며, 자신이 엑스트라라는 생각을 버릴 수도 없었다.

……그래서 그가 후작의 말을 듣고 느끼는 바가 없었느냐 하면, 그건 또 결코 아니었다.

"저는…… 제가 할 수 있는 일이 있다면, 그게 무엇이든 최선을 다해서 할 거예요."

"그래, 그렇다면 되었다. 그럼 이제 축제를 즐기러 가거라. 저 밖에서 나를 노려보고 있을 아이들의 시선이 느껴지는 것만 같구나."

에반은 후작의 농담에 피식 웃어버리곤 후작의 방을 물러나왔다. 그리고 문 앞에서 나들이옷을 입은 채 그를 기다리고 있는 샤인과 벨루아, 아리샤의 모습을 발견하곤 흠칫했다.

아니, 후작의 말이 농담이 아니었다니!?

"이제 겨우 끝났습니까. 그럼 얼른 나가시죠, 도련님. 다른 애들도 애타게 기다립니다."

"그동안 정말로 고생 많으셨습니다, 도련님."

"에반, 나도 애들한테 사준 옷 사줘."

그러고 보면 샤인과 벨루아는 이전 에반이 왕도에서 사준 옷을 입고 있었다.

과연 착용자의 신체의 변화에 맞추어 늘어나는 옷을 사준 보람이 있다. 둘 다 당시에 비해 제법 많이 성장했음에도 옷은 여전히 그들에게 딱 맞았다.

"나도 사줘. 너랑 추억 공유할래."

그리고 아무래도 아리샤는 에반을 기다리는 사이 샤인과 벨루아로부터 그들이 입은 옷에 대한 사연을 들었는지, 언제나 담백한 그녀치고는 드물게도 제법 강한 어조로 그에게 선물을 요구했다.

"넌 집에 돈도 많은 애가 뭘 사달라고 그러냐. 그리고 별로 친한 사이도 아닌데 뭐 사달라고 하고 그러는 거 아냐."

"……내 생일은 1월이야. 기대하고 있을게."

"생일에 너한테 옷을 선물하면 정말 우리가 특별한 사이인 것 같잖아!"

"기대하고 있을게."

아리샤는 다시 한 번 강한 어조로 말하고는 돌아섰다. 그녀에게 선물을 해주지 않으면 굉장히 귀찮은 일이 일어날 것이라 에반은 확신했다.

어쩔 수 없었다. 이렇게 된 이상 선물을 해주되, 다른 사람들이 오해하지 않도록 최대한 생일 이전에 옷을 맞추어주는 수밖에……!

"그래, 이번 기회에 신인족 애들한테도 한 벌씩 선물해줘야겠다. 기사단원들에게 주는 선물이라고 하면 되잖아."

"그럼 아리샤 아가씨를 완전히 기사단에 받아들이겠다는 거네요."

"……저 녀석을 기사단에서 쫓아내는 건 이미 포기했어, 샤인."

"아니, 물어본 제가 잘못했습니다. 잘못했으니까 그런 서글픈 표정으로 보지 말아주시죠?"

"도련님, 잊지 말아주세요."

기운 없이 어깨를 늘어트리는 에반에게 벨루아가 언제나처럼 단호하고 굳건하게 말했다.

"만약 아가씨께서 도련님을 강제하려 든다면 제가 막아내겠습니다. 도련님을 위해서라면 제 손에 피를 묻히는 것은 조금도 두렵지 않습니다."

"아니, 그건 내가 두려워지니까 하지 말아줘."

"유감입니다……."

그래도 언제나 진심으로 에반을 생각해주는 건 역시 벨루아밖에 없었다. 물론 사람을 죽이는 건 곤란하지만!

"어라, 라이한 형은? 지금 애들하고 같이 있는 거야?"

"라이한 형은 두 늠름한 여성분에게 붙잡혀 연행되었습니다. 후작가의 그 누구도 막을 수 없었죠."

듬직한 형이 보이지 않아 하는 말에 샤인이 대꾸했다. 제법 안타까운 투로 말하고 있었지만 표정은 히죽히죽 웃고 있었다.

"일이 이제야 끝났는데 축제가 하루밖에 안 남았으니 어쩔 수 없이 셋이 같이 다닐 거라나. 도련님이 쩔쩔매는 그 형 모습을 봤어야 하는 건데 너무 아쉽습니다."

"……부디 형이 칼에 찔리는 일은 없어야 할 텐데."

제아무리 깨지지 않는 방패 라이한 드루카스라고 해도 식칼로부터 온전히 복부를 보호해낼 수 있다는 보장은 없지 않겠는가!

에반은 한동안 므이라슬의 목걸이를 라이한에게 빌려주어야 하나 제법 진지하게 고민했지만, 제 코가 석자였기에 그만두기로 했다.

❋ ❋ ❋

신인족 아이들까지 합해 열두 명의 인원이 함께 다니다 보니 에반 일행은 사뭇 눈에 띄었다. 일단 모두 어린아이였을뿐더러 그 구성원의 면면 또한 결코 범상치 않았으니까.

"어머나. 쟤네 좀 봐, 너무 예쁘다. 이번 축제에 류트걸즈가 온다고 듣기는 했는데 쟤네는 또 뭐야?"

"그러게, 특히 저 남자애 좀 봐. 저렇게 예쁜 애는 처음 봤어!"

"어쩜, 너무 잘생겼다. 말이라도 걸어볼까?"

던전축제가 워낙 대규모로 열리다 보니 축제에 참가한 사람들 중에는 에반을 알아보지 못하는 이들도 제법 되었다.

그러나 그들에게 쉬이 다가오지는 못했는데, 은연중 에반 일행이 뿜어내는 기세에 위축되었기 때문이었다. 이미 그들은 마냥 예쁘고 귀여운 어린아이들이 아니었으니까!

"와, 사람 어마어마하게 많네. 이런 도시에서 하는 축제에 뭐 그렇게 볼 게 있다고."

"위험하니 던전에 직접 들어가지는 못해도, 던전 탐험가를 동경하는 사람들은 많은가 봅니다. 저도 잘 모르겠지만 그런 사람들이 있나 보더군요."

"동경할 게 없어서 그런 위험하고 땀내 나는 일을 동경해?"

"하지만 강하고 멋지고 돈 많이 벌잖습니까. ……아니, 그러니까 제가 그렇게 생각한다는 게 아니고요. 엇, 야! 멜슨, 너 어디 가! 이리 안 와!"

반면 에반도 거리를 가득 채운 인파를 보며 놀라기는 매한가지였다. 대로변은 물론이고 어느 골목이든 사람들로 꽉꽉 들어차, 평소 맛이 없다며 무시를 받던 노점까지 장사가 아주 성황이었다.

'게임에서도 이렇게까지 사람이 많이 몰렸던 적은 없는 것 같은데.'

잘도 이렇게 사람이 많은데 무사히 장미여왕을 비롯한 마화족들을 원하는 곳으로 유인할 수 있었구나, 감탄이 들 정도였다.

새삼 이번 일을 진행하면서 사상자가 나지 않았다는 사실이 놀라웠다. 바로 그것이 후작가와 영웅들의 능력이겠지. 이번 사태가 얼마나 무탈하게 끝난 것인지 그는 이 축제 회장을 둘러보며 깊이 실감했다.

'아니, 물론 가장 놀라운 건 장미여왕이 곧장 자신을 찾아올 거라고 예측했던 할아버지지만 말이야······.'

버나드 할아버지는 지금 뭘 하고 있을까. 장미여왕이 마지막으로 저주를 남겼다는데 괜찮은 걸까. 할아버지가 그런 큰일을 당했는데 자신은 정말 축제나 즐기고 있어도 되는 것일까.

한 번 그런 생각이 들자 에반의 상념이 한없이 그쪽으로 번졌다. 그때 그의 뺨을 아리샤가 쭉 잡아당겼다. 그의 부드러운 뺨이 쭉 늘어났다.

"무, 무슨 짓이야······!"

"여성을 에스코트할 때는 거기에만 집중해야 해."

"난 여성이 아니라 우리 기사단 예비 단원들을 이끌고 있을 뿐인데."

잘도 그런 말을 무표정하게 할 수 있구나, 에반은 퉁명스레 대꾸하며 아리샤를 살짝 밀어냈다.

그러나 말이 나온 김에 아이들을 돌아보니 그 녀석들은 이미 샤인이 알아서 잘 챙기고 있었다.

"진, 너 그거 어제도 본 거잖아. 알았어, 사줄 테니까 그런 눈으로 보지 마. 디토, 너는 그 손 당장 떼! 네 나이가 몇인데 바닥에 떨어진 걸 주워 먹고 있어! 그리고······ 폴! 뒤로 빠지지 말고 이쪽으로 와!"

"샤인 오빠 부단장님! 우리 이거 보러 가자!"

"여기서 오후에 연극한대!"

"흩어지지 말고 다들 이쪽으로 따라와, 한 놈이라도 안 오면 오늘 점심 안 사준다!"

"알았으니까 오빠, 연그윽!"

하루 이틀 해본 솜씨가 아니다. 녀석은 완전히 아이들 관리의 마이스터였다. 아이들을 아우르는 그에게서 느껴지는 그 압도적인 든든함이란!

……하지만 그 덕에 상대적으로 에반이 그들과는 독립되어 벨루아, 아리샤와 함께 셋이서만 다소 로맨틱한 분위기를 연출하며 걷고 있는 듯한 느낌이 들지 않는 것도 아니었다.

'어라, 혹시 이거 내가 라이한 형을 동정하고 있을 상황이 아닌 건가……?'

에반은 순간적으로 그런 생각이 들어 식은땀을 흘렸다.

물론 그럴 일은 없을 것이다. 메이벨도 아니고 이 둘은 에반에게 딱히 이성적인 감정은 품지 않고 있을 테니까.

……아니겠지?

"도련님, 5일 내내 같은 자리에서 버티고 있는 매점들을 위주로 보는 게 좋을 것 같습니다. 안내하겠습니다."

"오, 루아 너 머리 좋구나. 좋아, 가자."

"……벨루아가 그렇게 나온다면, 나도 에반을 에스코트할 방법을 생각해볼게."

"미안한데 넌 이제 그런 발상에서 멀어져 주지 않을래?"

한사코 데이트라는 표현은 받아들이지 않는 에반이었으나 사실 그들이 함께 거리를 돌아다니며 하는 일들이 거의 데이트에 가깝다는 것을 그도 인지는 하고 있었다.

"도련님, 경품을 걸고 하는 미니게임이 있다고 합니다."

"네가 그렇게 말한다는 건 갖고 싶은 경품이 있나 보지? 알았어, 해보자고."

"아, 아닙니다, 도련님. 저는 괜찮습니다."

"그럼 나 줘, 에반. 나는 원해."

"……저도, 부탁드려도 되겠습니까, 도련님?"

"그러게 처음부터 솔직하게 부탁하면 되는데."

"후, 너희 둘 다 재밌어."

어차피 이 상황에서 빠져나갈 길이 없다는 사실을 깨달은 에반은 기왕 노는 것 그들과 어울려 적극적으로 놀기로 했다. 당연하게도 그것은 무척 즐거웠다.

"흐으으으읍!"

"어억, 신기록이다! 신기록!"

"점주, 오늘 장사 망했다! 경품 저거 끌어 내려, 끌어 내려 버려!"

"도련님 다음 거 준비하고 계신다! 상 위치 후딱후딱 바꿔라!"

6년 만에 열린 던전축제, 그중에서도 가장 성대한 마지막 날인 것이다. 모든 이가 가장 화려하게 마지막 불꽃을 태워내고 있었으니 즐겁지 않을 수가 없었다.

거의 항상 무표정한 채 지내는 아리샤조차 입가에 미미한 미소를 매달고 있을 정도였으니 말 다 한 셈이다.

"좋아, 일단 루아랑 아리샤 건 확보했고. 이제 남은 건 기사단 애들 줘야겠다."

"감사합니다, 도련님⋯⋯!"

"엇, 여기 노점에서 에반 공자님이 상품을 휩쓸고 계셔!"

"뭐야, 저 잘생긴 애 귀족이었어!?"

"그런데 그 옆에서 같이 걷고 있는 여자애들은 또 뭐래? 혹시 저 아이들도 귀족인가?"

여태까지는 마화족 문제로 숨 쉴 틈도 없이 시달렸고, 축제가 끝나면 또 수련이다 던전이다 정신없는 일상이 시작될 텐데 아무 생각 없이 즐길 수 있는 때가 또 언제 오겠는가?

앞으로 힘들고 귀찮은 일들이 얼마나 많을 텐데, 놀 수 있을 때에 놀아두어야만 하는 것이다!

"아니, 공자님, 이렇게 다 쓸어 가시면 저는 망합니다!"

"이번 축제 때 나오는 노점들은 세금 안 내잖아? 그 대신 내가 경품 걷어 가는 거니까 그렇게 알아."

"셰어든이면 이 도시의 주인 아니야? 그런데 어쩜 저렇게 잘생기기까지 했담."

"아니, 방금 저 게임은 레벨 높은 탐험가들이나 시도할 수 있는 게임 아니었던가? 저 어린 나이에 어떻게……?"

"안 되겠다, 역시 말을 걸어봐야…… 히이익!?"

다른 사람들은 그들의 모습을 보며 그들의 미모에 경탄하거나, 소년의 장래를 두려워하거나, 그에게 접근해보려다가 벨루아로부터 은밀하게 날아드는 살기에 겁을 먹고 조용히 물러났다.

그들은 어딜 가나 화제의 중심이 되었다. 그러지 않을 수 없었다. 에반은 말할 필요도 없고 거기에 더해 벨루아와 아리샤까지. 그들의 모습은 무시하기엔 지나치게 화려하고, 아름다웠다.

"이상하다, 왜 저걸 보고 있으니 내 기분이 조금 울적해지는 거지."

"부단장 오빠, 나 이거! 이거 사줘!"
"부단장님, 저건 역시 몬스터가 맞는 것 같습니다!"
"글쎄 아니라고!"

뒤에서 아이들을 보살피며 천천히 그들의 뒤를 따르던 샤인은 그의 곁에 찰싹 달라붙은 벨루아, 아리샤와 함께 축제를 즐기고 있는 에반의 모습을 보며 어딘가 허전함을 느꼈다.

어째서지, 분명히 같은 일행인데 한쪽은 로맨틱한 데이트, 한쪽은 보모의 나들이……. 샤인은 울컥하여 입술이 부들부들 떨렸다. 그런 그의 양옆으로 린과 란, 쌍둥이 자매가 신이 나서는 매달렸다.

"부단장 오빠야, 우리도 저거 경품!"
"나도 줘!"
"……오오냐, 나한테 맡겨라."

샤인은 언제나 에반의 편이었지만 오늘만은 달랐다.

기사단의 부단장을 맡긴다는 명목으로 이 어린아이들을 돌보는 일을 자신에게 떠넘긴 그에게 가차 없이 응징하리라! 벨루아와 아리샤 앞에서 개쪽을 당하게 만들어 주리라!

"저도 참전하겠습니다! 도련님에게 패배가 뭔지 알려드리죠!"

"……바보 샤인, 방해하지 마."

"엇, 뭐야. 보모가 반기를 들었다!"

"보모라고 하지 마!"

설명하지! 노점의 게임은 여러 가지가 있지만 그중에서도 지금 그들이 도전하는 게임은 남녀노소 도전할 수 있어 축제가 열리는 5일 내내 인기랭킹 최상위권을 차지했던 게임이다!

"어서 옵쇼, 이쪽에 두 분! 어느 쪽이든 신기록을 세우시면 여기 이 던전 깊은 곳에서 출토된 아티팩트를……."

"이거 간단한 마도구잖아, 구라 치다 걸리면 경비병한테 잡아가라고 한다."

"마법사님들께서 열심히 개발하신 마도구! 마나를 조금만 불어넣으면 예쁜 춤을 추는 마도인형을 경품으로 증정합니다!"

그 게임이란 바로 마나를 쓰지 않고 입김만을 불어 물 위의 종이배를 먼저 목적지에 도달하게 하는 게임으로, 실은 요마대전 시리즈 내에도 미니게임으로 간간이 등장하곤 했던 유서 깊은 게임이었다!

개인으로 도전할 경우 순수하게 시간을 측정하여 랭킹을 매기지만, 둘이서 함께 할 경우 상대의 배를 목적지에 도달하지 못하게 하면서 자신의 배는 빠르게 도달하게 해야 하는 심오한 게임으로 변모한다!

"후우우우우우우!"

"후우우우우우우!"

"역시 에반 공자님, 숨이 한 번 끊이지도 않고 어마어마하게 불어대는데!"

"아냐, 하지만 보모 쪽도 만만치 않아!"

"후웁, 그러니까 보모 아니라고!"

"아아앗, 보모의 배가 침몰한다! 그러는 한편 당연하다는 듯이 에반 공자님이 신기록을!"

그러나 독기를 품고 나섰던 것이 허무하게도 승패는 금방 가려졌다. 주종 간의 대결에 외야가 시끄러워지자, 샤인이 그만 거기에 반응하는 바람에 패배하고 말았던 것이다.

에반은 담담히 경품을 타 루아에게 건넸고, 아리샤는 린, 란 자매와 함께 제자리에 주저앉은 샤인을 쿡쿡 찔렀다.

"냉정을 잃다니, 집사 실격."

"오빠 약하다."

"부단장 오빠 실망이야."

"크흑……!"

그러나 샤인은 끝내 무너지지 않고 다시 일어섰다. 아직 이 도시에 서로 승부를 가릴 수 있는 노점은 많고도 많았으니까!

"후, 최후에 웃는 건 누가 될지 거기서들 지켜보고 있어라."

"보통은 그런 말을 하는 사람이 울던데……."

"도련님, 가시죠! 다음 게임은 이렇지 않을 겁니다!"

"후, 설마 네가 게임으로 나를 이기려들 줄이야. 좋아, 샤인. 엑스트라가 레귤러에게 이길 수 있는 분야도 있다는 사실을 알려주지."

결국 데이트 같았던 분위기는 그리 오래가지 않아 깨지고 말았지만, 그건 또 그것대로 즐거웠다. 적어도 에반은 그랬다.

다만 에반과의 좋은 시간을 방해받은 벨루아만은 기필코 나중에 샤인에게 복수하리라 다짐했지만…… 에반과의 대결에 집중하고 있는 샤인은 안타깝게도 그 사실을 모르고 있었다.

축제 마지막 날을 즐긴 것은 에반 일행뿐만이 아니었다.

장미여왕 척살이라는 숙원을 수십 년 만에 비로소 달성한 네 명의 영웅들 또한, 비록 아직 해결하지 못한 일들도 남아 있지만, 그럼에도 지금의 성취감을 만끽하기 위해 기꺼이 인파 틈으로 파고들어 축제를 즐겼다.

……사실 버나드는 썩 그러고 싶은 마음이 없었으나 덩치도 큰 레오가 비 맞은 개처럼 축 늘어져 자신을 바라보는데 도저히 그를 따라나서지 않을 수가 없었다.

"야, 야야, 저 사람 혹시 대영웅 아니야?"

"에이, 말도 안 돼. 대영웅이 여길 왜 와."

"레오 아르페타 맞는 것 같은데!?"

"그러고 보면 이쪽으로 온다는 얘길 들었던 것도 같은데."

"오오오, 공신의 사제 아리아 님이시잖아? 여전히 아름다우셔!"

비록 수십 년 전의 인물이라지만 대영웅 레오 아르페타와 그 반려 아리아 아르페타의 얼굴은 너무나 유명했고, 그들을 알아보는 이도 심심치 않게 나왔다.

그러나 축제의 마력은 실로 신비하여, 그들을 보고도 그냥 지나가는 이가 태반이었고, 놀라며 즐거워하는 이가 또 남은 이 중 반이었다.

"어, 버나드 영감님, 오랜만에 뵙…… 헉, 혹시 저분은!?"

"닮은 놈이다."

"아니, 하지만 그 옆에 계신 분도 어디서 많이……."

"닮은 사람이다."

"어떻게 둘이 꼭……."

"글쎄 닮았을 뿐이라지 않았느냐. 네 눈이 좀 이상한 것 같은데 치료 한번 받아볼 테냐?"

"힉!"

그러고도 남은 이들이 흠칫 놀라며 다가왔으나 버나드의 강력한 철벽 앞에 물러나는 수밖에 없었다.

반론을 허락지 않는 그의 굳은 표정! 더 캐물었다간 한 대 때리기라도 할 것처럼 부들부들 떨리는 그의 주먹!

"그, 그렇군요. 그러면 영감님 옆에 계신 아리따운 분은?"

"그냥 아는 사람이다."

"그럼 혹시 저한테 소개 좀 해주실……."

"예끼, 이놈아. 사람은 분수를 알아야 하는 법이다. 썩 저리 가지 못해?"

다만 거기에 한 가지 문제가 더 있었다면 인간에 비해 오랜 세월을 사는 만큼 여전히 전성기의 미모를 간직하고 있는 일로인의 존재감이었다.

레오 아르페타를 무시할 수 있는 사람은 있어도 엘프 일로 인을 무시할 수 있는 사람은 없었으니, 버나드는 일로인에게 접근해오는 사람들까지 막아내며 졸지에 기사 노릇을 수행해야 했다.

어째서 그가 이런 피곤한 역할을 맡아야 했는가 하면, 레오와 아리아는 부부이기도 한 만큼 둘이 나란히 걷고 있었기에 자연스레 버나드와 일로인이 짝이 되었기 때문이다.

"……미안합니다, 버나드. 제 외모가 인간에 비하면 요란한 탓에."

"외모가 요란하다니 퍽 재밌는 표현이구려."

"실제로 그렇지 않습니까. 이런 머리카락도, 이런 눈도 인간에게선 흔히 찾아볼 수 없을 테니까. ……생김새 또한 이질적이고요. 호기심에 다가오는 사람이 있는 것도 당연하겠지요."

버나드는 일로인이 진심으로 그렇게 말하며 씁쓸한 표정을 짓고 있는 것을 보며 허, 웃었다.

"일로인, 당신은 자신이 무슨 괴물이라도 되는 것처럼 얘기하는군. 큰 착각이오. 저것들은 단지 미녀에게 한 마디 말이라도 붙여보고 싶어 덤벼들고 있을 뿐이니까."

"미녀……?"

일로인은 그 말에 두 눈이 휘둥그레 크게 뜨였다. 그러나 버나드는 그것을 보며 되레 기가 막혔다.

예쁘고 잘생긴 사람들은 보통 자신의 외모가 잘났다는 것을 안다. 알 수밖에 없다. 그런데 그녀가 이렇게 나오니 웃긴 것이다.

감정 기복은 적어도 매사에 솔직하게 표현하는 그녀의 성격을 모르고 있었더라면, 실로 가식적이라며 비웃기라도 했을 것이다.

"자신과 다른 것에 대한 호기심과 자신의 마음을 이끄는 것에 대한 호의는 분명히 구분되는 법이오. 더욱이 인간과 엘프의 미의식은 비슷한 편이니 애초에 이질적이느니 하는 쓸데없는 생각은 할 필요가 없소."

"……버나드 당신도 그렇게 생각하나요? 내가 예쁘다고?"

"허, 나도 눈 제대로 달려있는 인간이외다. 그 생각만은 내가 어렸을 때부터 지금까지 변함이 없소."

일로인의 진지한 물음에 버나드는 퉁명스레 답했다. 이때 '물론 당신은 세상에서 제일로 아름답소!' 같은 표현을 하지 못한다는 것이 그의 한심한 점이었다.

그러나 일로인은 버나드의 그런 멋대가리 없는 말에도 웃어줄 수 있는 마음씨 넓은 여성이었다.

"그렇군요. 당신이 그렇게 생각해주고 있었을 줄은, 정말로 몰랐습니다……. 하지만 버나드, 이전에 당신은 제게 이런 말을 해주지 않았습니다만. 그땐 제가 인간 분장을 하고 있긴 했지만, 지금과 모습이 크게 다르진 않았어요."

물론 일로인도 타인으로부터 아름답다, 예쁘다, 그런 칭찬을 들어보지 않은 것은 아니다. 타인을 배척하는 성격이었음에도 자신에게 어떻게든 접근해오려 하는 인간도 물론 많이 있었다.

하지만 일로인이 지금 놀란 이유는 따로 있었다. 그것은 바로 버나드가 직접 자신의 외모에 관한 언급을 한 것이 이번이 처음이었기 때문이다.

다른 사람들이 아무리 많이 칭찬을 하면 무엇하겠는가? 버나드가 끄떡도 안 하는데! 일로인이 여태까지 자신의 외모에 자신감이 없었던 것도 전부 그 때문이었다. 버나드 탓이었던 것이다!

"그땐……."

그제야 비로소 버나드는 조금 켕기는 듯 묘한 표정을 지으며 뒷머리를 북북 긁었다.

"미안하지만 동료들과 깊은 친분을 쌓을 정도로 마음이 여유롭지 않았소. 그걸 억지로 뚫고 들어온 레오 놈만, 나를 어느 정도 알고 있었다고 봐야지."

"……."

"강박에 시달리고 있었다고 봐도 좋소. ……너무 늦었지만, 내 사과하지. 결코 당신을 비롯한 동료들에게 악감정이 있어서 그랬던 것이 아니오. 단지…… 단지 마음에 여유가 없었을 뿐이니, 이해해주길 바라진 않아도 단지 그것을 알아주었으면 하오."

그런 얘기를 나이 일흔이 가까워오는 지금에 와서야 하게 되다니, 정말로 인생이란 알 수 없는 법이지. 버나드는 속으로만 그렇게 중얼거리며 씁쓸하게 웃었다.

그런데 그 옆에서 일로인이 깊숙이 고개를 끄덕이고 있었다.

"그랬나요, 이제야 이해했습니다. 사실 당시 동료들 사이에선 당신이 레오를 좋아하는 것이 아닌가 하는 얘기가 돌고 있었지요."

"……그 얘기는 내가 처음 듣는구만. 내게 있어선 매우 불쾌한 얘기요."

"아니라는 걸 알았으니 됐습니다. 역시 축제는 좋은 것이군요. 당신에게서 제일 듣고 싶었던 말을 이렇게나 쉽게 듣게 되다니…… 축제에 마력이 있다는 말은 정말인가 봅니다."

"음?"

제일 듣고 싶었던 말? 버나드가 게이가 아니라는 말? 혹시 엘프는 타인의 성적 기호에 유별나게 간섭하는 특수하고도 민폐스러운 관습이라도 있다는 말인가?

버나드는 한없이 바보 같은 그 생각을 다행히도 입 밖으로는 내지 않는 데에 성공했다. 그때 일로인이 해야 할 말을 잊고 있었다는 투로 가볍게 선언했다.

"버나드, 미리 말해두겠습니다. 저는 이곳에 남을 겁니다."

일로인의 그 말에 버나드는 잠시 고개를 갸웃하더니 말했다.

"나는 당연히 그럴 것이라 생각하고 있었소만. 레오 놈도 잠시 이곳에 머무르면서 에반을 가르친다고 했으니."

"아뇨, 그것과는 별개의 문제입니다. 저는 계속 이곳에 있을 겁니다, 버나드."

"음!? 그게 대체 무슨……."

그 말에는 과연 버나드도 놀라지 않을 수 없었다. 그러나 그가 거기에 대해 자세히 캐묻기 전 옆에서 자연스럽게 끼어드는 이들이 있었으니.

"아, 역시 그렇게 됐어?"

"어머나, 어머나."

지들끼리 데이트를 하는 척하면서 실은 여태껏 버나드와 일로인의 대화를 은근슬쩍 훔쳐 듣고 있던 레오와 아리아가 버나드의 말을 잘라먹으며 말했다.

"안 그래도 부탁하려고 했지. 그런데 일로인 네가 자진해서 맡아준다니 너무 고맙다."

"어쩜, 저희도 계속 이곳에 머무르고는 싶은데 아직 마화족이 완전히 정리가 안 됐잖아요, 글쎄. 그러니까 일로인, 셰어든은 당신한테 부탁할게요. 당신이라면 믿고 맡길 수 있죠."

"……둘 다 고마워요. 역시 당신들은 끝까지 믿음직한 제 동료로군요."

"음? 으으음?"

이상하다, 자신이 모르는 사이 이 세 명 사이에 굳건한 팀 워크가 형성되어 있는 것 같은데?

자신이 모르는 공통된 목표 달성을 위해 셋이 주거니 받거니 하며 성을 쌓아 올리고 있는, 그리고 버나드만 거기에서 소외된 듯한 이 기묘한 느낌은 무엇일까?

"혹시 내 손목에 묶인 장미여왕의 저주에 대해 걱정하는 거라면 그럴 필요 없소만."

"아뇨, 절대 그럴 수는 없어요. 버나드 당신이 걱정하지 않아도 우리는 걱정하고 있으니까."

"싸우기는 같이 싸웠는데 책임은 너 혼자 지다니 그건 좀 이상하다고 생각하지 않냐, 버나드? 그런데 이대로 너를 놔두고 떠난다는 것은 있을 수가 없는 일이지."

버나드의 한 마디 반박에 돌아오는 말은 두세 마디씩은 되었다. 마치 사전에 대본이라도 준비해 외워 온 듯한 이 느낌은 무엇일까? 버나드의 소외감이 더해지는데 거기에 일로인이 방점을 찍었다.

"당신은 언제나 우리를 지켜주었지요. 버나드, 이젠 제가 당신을 지킬 차례입니다. 부담스럽다 생각하지 말고 내가 당신의 곁에 머무르는 걸 허락해주었으면 합니다."

"아니, 그건 조금 이상하지 않소? 레오, 너도 생각해봐라. 이건 이상하지 않으냐? 일로인은 엘프로서는 청춘인데 나 같은 노인네를 지키느라 던전도시에 묶여 있어야 한다니 말도 안 되는 일이지 않은가!"

"나이는 전혀 상관없어요, 버나드!"

"으음!? 지금 중요한 게 그 부분이오!?"

"버나드 너도 참 답답하다⋯⋯."

항상 자신에게 놀림만 받았던 레오가 늘 자신이 짓던 한심하다는 표정으로 버나드를 바라보고 있었다!

괜히 울컥하는 버나드였으나 어쩐지 지금 반박을 하면 큰일이 날 것만 같다는 직감이 와 함부로 입을 열지 못했다.

과연 수십 년간 죽음의 위기를 몇 번이고 넘겨온 베테랑 모험가답게 자신의 위기를 파악하는 능력만은 탁월한 그였다.

"그렇다면 허락한 것으로 알고, 당신의 집에 짐을 풀겠습니다. 남는 방이 있더군요."

"아니, 내 집에!?"

"에반 녀석이 버나드를 위해 일부러 그렇게 큰 집을 지어주었다잖아? 심지어 언제 늦장가들지 모른다고 세심하게 살림

살이를 마련해놨더라고."

"어쩜, 어린 나이에 기특하기도 하지. 이곳에 머무르는 동안은 그 아이를 확실히 돌봐주어야겠어요. 그래, 이 기회에 우리는 후작가에 방 하나 달라고 부탁해볼까요?"

"그래, 버나드는 일로인이 보살펴줄 테니 우리는 후작가에 신세를 지자고."

"으으음!?"

뭔가 너무나 이상하지만 자연스럽게 대화가 이어지고 있어 태클을 걸지 못하고 있는 사이, 어쩌다 보니 버나드와 일로인이 그의 집에서 단둘이 동거를 하게 된다는 식으로 얘기가 정리되고 있었다!

"……엇, 에반!"

그러나 혼란 상태에 빠져있던 버나드에게 그 순간 구원의 동아줄이 내려왔으니, 바로 조금 멀리서 두 예쁜 여자아이와 함께 ―그 조금 뒤로는 샤인이 인솔하는 여덟 명의 아이도 함께 있었다― 걷고 있는 제자 에반의 모습이 보인 것이다!

"버나드 할아버지! 레오 할아버지랑 아리아 님, 일로인 님도 안녕하세요!"

"그래, 이놈아, 아주 반갑다! 일로 와서 내 대신 얘기 좀 해

다오!"

"네!?"

버나드에 대한 걱정을 새카맣게 잊고 있다가도 그의 모습을 보며 새삼스레 그의 상태가 걱정되어 다가오는 에반.

"그러니까 내가 말이다……."

버나드는 그 기특한 제자에게 상황을 간추려 설명했다. 그러는 가운데 일로인은 에반을 빤히 바라보며 기묘한 압력을 주었다.

얘기를 다 듣고 난 후, 에반은 방긋 웃으며 말했다.

"이 얘기의 어디에 문제가 있다는 건지 잘 모르겠는데요?"

"음, 역시 내 제자야."

"아직 네 제자 아니다, 이놈아! 아니, 꼬맹아, 에반……! 뭔가…… 뭔가 이상하지 않으냐! 이상하단 말이다!"

"하나도 안 이상한데요, 할아버지. 일로인 님, 그럼 앞으로도 잘 부탁드려요."

"저야말로 잘 부탁합니다, 에반. 우린 좋은 친구가 될 수 있을 것 같네요."

일로인과 에반이 굳게 악수를 나누는 가운데, 에반을 따라이 이야기를 처음부터 끝까지 듣게 된 벨루아와 아리샤는 레오가 그랬듯 한심하다는 표정으로 버나드를 보고 있었다.

　"아, 불꽃놀이 시작하네."
　"어쩜, 예뻐라……."

　그런 와중, 언덕에서부터 퍼어엉, 커다란 소리와 함께 폭죽이 쏘아졌다. 폐회식이 시작된 것이다.
　무척 아름답고도 성대한 폭발이 일어나 하늘을 수놓았다. 여느 때보다 화려하고 성대한 폭죽인데, 그것을 보며 마음이 차분해지고 있었으니 실로 신비한 일이었다.

　"정말 예쁘네."
　"……도련님."

　에반은 무심코 그렇게 중얼거렸다. 벨루아는 그런 에반의 옆얼굴을 바라보며, 살짝 그의 옷깃을 붙잡고 그에게 몸을 기대었다.
　어린 시절부터 유일하게 못 고치고 남아있는 그녀의 버릇이었다.

　"불꽃놀이를 도련님과 함께 볼 수 있어서…… 정말로 기쁩니다."

"으, 으음. 나도 그래. 루아, 항상 고마워."

"아니, 이것들이, 나를 놔두고 야릇한 분위기 잡고 있지 말아라! 지금 이쪽 문제는 하나도 해결이 안 됐단 말이다!"

길고도 길었던 축제가, 드디어 무사히 마지막 순간을 맞이하고 있었다.

Chapter 24.
에반 디 세어든, 다시 던전에 들어가다

　던전축제가 완전히 끝났다. 사람들은 무척 아쉬워했으나 결국엔 3년 후 다시 찾아올 축제를 고대하며 얌전히 일상으로 돌아갔다.

　마화족 감염방지약을 바리바리 싸 들고 멜토 폰 펠라티 백작 또한 귀향했다. 또 다른 던전도시, 메르딘으로는 후작가의 집사장이 직접 향했다. 분명 모두 늦지 않을 터였다.

　그렇게 축제가 끝나고 며칠간 기사와 병사들을 총동원해 던전을 깨끗이 청소한 후에야, 비로소 에반은 후작으로부터 이제 던전에 들어가도 괜찮다는 허락을 받아냈다.

　"음, 유통기한은 아직 다 괜찮아 보이네요."
　"앞으로도 수십 년은 멀쩡할 거다, 이놈아."

그리고 던전에 들어가기 전날 밤, 에반은 이전에도 그러했 듯 버나드와 함께 인벤토리 포켓을 점검했다.

사실 저번 던전행에서 포션이나 소모품을 거의 쓰질 않아 서, 이번에 보충한 것들은 배틀비드뿐이었다.

"그래, 이번엔 몇 층까지 다녀올 셈이냐?"

"너무 오랫동안 저택을 비워도 가족이 걱정할 테고, 밖에서 해야 할 일도 있으니까 별로 무리할 생각은 없어요. 그래서 일 단 가볍게 20층까지만 다녀오려고요. 그러면 필요한 스킬 한 두 개는 얻어 나올 수 있겠죠."

버나드는 에반의 대꾸에 잠시, 자신이 '가볍다'는 단어에 대 해 잘못 알고 있는가를 돌이켜 생각해보았다.

던전의 20층을 공략해낸 던전 탐험가는 본격적으로 '중견' 으로 인정을 받게 되며, 각 길드에서도 주목하는 인재들이다.

저마다 안정적인 파티를 꾸리고 있는 경우가 대부분이고, 당장 그들 대다수가 형제목욕탕에도 심심치 않게 들어갈 수 있을 만큼의 재력을 확보하고 있었다.

"그런데 일단 가볍게 20층이라고?"

"네. 20층까지는 솔직히 전혀 위험할 게 없으니까요. 으으 음, 사실은 30층까지도 무리 없겠지만 이번엔 아리샤도 데려 가게 되는 바람에 말이죠."

아리샤는 이번엔 반드시 에반 일행과 함께 던전에 들어가겠다며 선언했다.

그가 싫다고 하면 혼자서 1층부터 시작해서 뒤쫓아 오겠다고 할 정도인지라 어쩔 수 없이 파티에 그녀를 참가시켜 1층부터 함께 스타트하게 되었다.

물론 에반 일행이 나서면 그녀는 공헌도를 제대로 얻지 못하게 되기 때문에, 5층까지는 최대한 그녀가 능력을 발휘할 수 있도록 지켜보는 방향으로 진행해야 할 것이다.

"그런데 이 녀석이…… 물론 나중 가면 훨씬 강해지겠지만 지금 단계에서는 제가 애 능력을 잘 모르니까요. 이번에 20층까지 같이 진행하면서 스킬도 좀 얻어두고, 기초능력도 좀 파악했다가 다음에 다시 들어갈 때까지 확실하게 단련시켜야죠."

요마대전 3의 메인 히로인인 만큼 아리샤의 적성만은 에반도 아주 잘 알고 있다.

본작에서의 그녀는 바람의 마도를 익힌 동시에 날카로운 레이피어를 다루는 마도검사였는데, 레이피어에 바람의 칼날을 입혀 빠르게 쏘아내는 찌르기 공격이 가히 일품이었다.

메인 히로인이니 당연히 강하고, 성장 한계도 끝이 없다. 오빠인 크로우와는 달리 지금 단계에서도 이미 기술의 숙련도가 상당하여 문제없이 던전에 따라올 수준이 되었다.

물론 그럼에도 불구하고 에반이 여태 성장에 직접 관여했던 샤인이나 벨루아, 라이한에 비하면 무척 떨어지는 편이지만 말이다!

"하지만 이젠 달라질 거예요. 어쨌든 그 녀석을 기사단에 받아들이기로 결심했으니 제대로 키워봐야겠죠……."

"……꼬맹이, 넌 정말 기사단장에 제격인 인재구나."

"에이, 전 그냥 조금 더 효율적인 성장 방향을 제시할 수 있을 뿐인데요. 이 정돈 개개인의 적성을 보는 눈과 적당한 사전지식만 있으면 누구나 할 수 있잖아요."

"……하, 정말 네놈의 상식에 대해선 논하는 게 우스운 수준이구나."

버나드는 바로 그걸 기사단장의 자질이라고 부르는 것이었다.

보통 에반이 '이 정돈 너무 당연해서 굳이 말할 필요도 없는 것 아닌가?'라고 생각하는 것들은 대개 일반인이 결코 생각해 내지 못하는 것일 확률이 컸다!

"그 귀족 아이는 그렇다 치고, 너나 다른 애들은 괜찮은 것이냐?"

"네? 저도 20층 정도론 문제없는데 샤인이나 벨루아 걱정을 할 필요가 있어요?"

"……."

안 되겠다. 이 녀석하고는 근본적으로 생각이 맞질 않는다! 자신을 과소평가하는 듯싶다가도 던전 얘기만 나오면 이렇게 갑자기 자신감이 치솟으니!

보다 정확히는 던전에 대해 생각하는 개념이 다른 이들과는 판이하게 다른 것이지만!

"던전은 요령이에요, 할아버지. 요령."

"글쎄 그걸 던전 20층까지는 들어가 본 적도 없는 네놈이 어떻게 알고 있느냐 이거다."

"에이, 아시면서."

"나는 모른다, 이놈아."

에반의 능청에 버나드는 그의 이마에 알밤을 쥐어박으며 코웃음을 쳤다. 그런 그들 앞에 어느덧 찻잔이 놓이고 차가 따라졌다.

고개를 드니 평상복을 입은 엘프 일로인이 찻주전자를 들고 있었다. 요즘 하루 내내 버나드와 함께한다더니, 약국 안에까지 들어온 것이다.

"일로인?"

"얘기가 어느 정도 끝난 것 같군요. 차라도 한 잔 들어요."

넉넉하고 부드러운 원피스 차림에 그 위로 앞치마를 걸친 그 모습은, 이런 말은 그녀에게 실례될 수도 있겠지만…… 완전히 신혼살림을 차린 새댁처럼 보였다.

아니, 아마 실례가 아니겠지. 직접 그렇게 말하면 에반은 그녀에게 크게 칭찬을 받을 것이다. 확신할 수 있었다.

"에반, 당신이 늘 마시는 독차가 아니어서 미안합니다. 하지만 우리 엘프 비전의 찻잎을 사용한 것이니 한 번만 들어보길. 입에 맞을 겁니다."

"엘프 비전의 찻잎…… 혹시 이거 제가 생각하는 그건가요?"

"음, 설마 했는데 알고 있네요. 맞습니다. 고대의 숲 중앙부에 있는 세계수의 잎을 덖어 만든 차, 엘븐 티입니다."

"흐걱, 진짜 엘븐 티였어요? 어쩐지 향기가 다르더라니."

엘븐 티라니, 그런 건 요마대전 시리즈에서도 딱 한 번밖에 못 봤다.

바로 요마대전 제로의 주인공, 고대의 대마도사가 시리즈의 키 캐릭터, 영원한 엘프의 공주 하이엘프 미로엘로부터 대접받은 적이 있었던 것이다.

'하이엘프 미로엘이 분명 그랬었지. 오직 가족에게만 내어주는 차라고. 진짜 완벽한 사랑 고백이었는데…….'

그러나 고대의 대마도사, 그 망할 주인공 놈은 그런 노골적인 신호조차 알아듣지 못하고 그냥 고맙다며 차를 마셨었다. 그 바보 천치 놈이!

물론 그 캐릭터 자체가 출신이 불분명한 데다 다른 사람들과 쉬이 엮이려 들지 않는 신비주의 콘셉트를 유지하는 캐릭터이긴 했지만…… 그래도 자기 좋다는 여자한테 그러면 안 되지! 싫으면 딱 잘라 거절을 하든가!

"엘븐 티? 나도 처음 들어보는데 에반 네놈은 어떻게 알고 있느냐? 아니, 됐다. 답하지 말거라. 새삼스럽지도 않다."

"버나드 당신에게는 늘 내어주고 싶었지만, 당시엔 저도 인간계로 나와 떠돌아다니고 있었던지라 가지고 있는 찻잎의 여분이 없었어요. 이렇게 당신에게 차를 대접할 날이 오게 되어 너무나 기쁘군요."

어라, 방금 사랑 고백이 이루어진 것 같은데!? 아무렇지도 않게 이 엘프가 할아버지한테 진한 사랑 고백을 한 것 같은데!

버나드 덕에 덩달아 엘븐 티를 마시게 된 에반의 양손이 부르르 떨렸다. 그 말에는 버나드도 과연 느끼는 것이 있었는지 뒷머리를 벅벅 긁으며 쑥스러워했다.

"오, 오오. 그렇소? 그렇게까지 맛있고 귀중한 차라니 괜히 미안해지는구려."

"이 차는 가족에게만 대접하는 차이니까요. 이제 당신에게는 언제나 내어줄 준비가 되어 있답니다."

"으으음……? 어쨌든 고맙구려, 잘 마시지."

"네, 버나드. 뜨거울 때 들어요. 그리고 부족하거든 말해 줘요."

……그런데 여기 이 자리에 바보 천치가 또 한 명 있었네. 에반은 버나드를 보며 절로 울컥했다. 할아버지만 아니었으면 뒤통수를 한 대 때렸으리라!

그런 상황에도 마냥 좋다며 웃고 있는 일로인이 성녀로 보일 정도였다! 그는 일로인에게 진심을 담아 말했다.

"일로인, 전 당신 편이에요. 언제든 상담해줄 수 있어요."

"후우, 난 정말 복이 많은 엘프로군요. 이렇게나 날 지지하고 응원해주는 인간 친구들을 많이 사귀게 되다니……. 고맙습니다. 나 혼자 힘으로 무리일 것 같거든 그때 에반, 당신에게 의지하죠. 답례라고 하긴 뭐하지만 엘븐 티 정도는 내어주겠어요. 이젠 우리도 가족입니다."

"콜!"

"으음!? 어째서 나보다 네놈이 더 일로인과 친한 것 같지? 젠장, 이게 다 얼굴 때문인 게냐? 억울해서 살 수나 있겠냐!"

"할아버지, 할아버지는 그냥 차나 마셔요."

"이놈이!?"

에반은 버나드에게 쓴소리를 하며 엘븐 티를 입에 대었다가, 차가 놀라울 정도로 맛있어서 그만 그것을 뿜을 뻔했다. 여태까지 마셔본 차 중 그윽한 풍미며 은은한 달콤함이며 고소함이 정말 감동적이었다.

'마나랑 체력도 실시간으로 회복되는 것 같고, 미약하게나마 몸에 축복도 걸리는 것 같고…… 이거 대체 뭐야!?'

역시 세계수는 뭐가 달라도 다르구나! 에반은 차를 거듭해마시며 전율했다. 바로 앞에서 버나드도 그와 비슷한 모양새로 전율하는 것을 보며 일로인은 쿡쿡 웃었다.

둘 다 그 말을 들으면 싫어하겠지만, 차를 마시는 모습이 어쩜 사제지간에 똑같았다.

맛있어하면서도 성분을 궁금해하고, 곰곰이 맛을 더듬어보고…… 얼굴 표정이 요리조리 바뀌는 그 모습이 완전히 같았던 것이다.

'그나저나…… 역시 아닌 것이겠지. 분부를 수행할 기회라여겼는데, 일이 그렇게 겹칠 리는 없는 거야.'

일로인은 엘븐 티를 마시며 연신 감탄하고 좋아하는 에반의 모습을 보며 은밀히 눈을 반짝였다.

저건 아무리 봐도 엘븐 티를 처음 마셔보는 사람의 반응이었다. 내심 다른 반응을 기대하고 있던 그녀로서는 적잖이 실망하지 않을 수 없었다.

하지만…… 뭐 어떠랴. 비록 그녀가 생각하고 있던 사람이 아니라고 해도 여전히 에반은 무척 착하고 좋은 아이였고, 이젠 그녀의 좋은 친구이기도 했다.

"에반, 그렇게 마음에 든다면 찻잎을 조금 받아 가겠습니까?"

"진짜요!? 고맙습니다!"

"역시 금방 친해져버리는구만. 젠장, 억울하다, 억울해."

"할아버진 억울해할 거 하나도 없다니까요."

분명 버나드는 에반과 일로인이 어떻게 이렇게 친해질 수 있었는지, 둘의 공감대가 무엇인지 전혀 이해하지 못하고 있는 것이리라.

에반은 그런 버나드가 딱해 그렇게 말했지만 이 바보 할아버지가 그런 말 한두 마디로 바뀔 리도 없었다.

"글쎄 아까부터 이상한 소리 하지 말고 후딱 던전이나 들어갔다 나와라. 레오 놈이 널 붙잡아놓고 가르치겠다고 아주 벼르고 있으니까."

"으극, 그건…… 할아버지가 말려주시면 안 돼요?"

"내 소중한 제자가 강해질 기회라니 창자를 끊어내는 심정으로 버텨볼 셈이다."

"거짓말 치지 마요! 얼굴이 계속 히죽히죽 웃고 있는데!"

에반은 결국 버나드와 한바탕 씨름을 치르고 나서야 약국에서 빠져나올 수 있었다. 물론 그의 손에는 일로인으로부터 받아낸 엘븐 티 찻잎이 잔뜩 담긴 봉투가 들려 있었다.

"그…… 도련님."
"어라, 한나 누나?"

그런데 약국 앞에 이미 퇴근했으리라 생각했던 한나가 서 있었다. 그 한없이 어색하고 불편한 표정을 보며 에반은 고개를 갸웃했다.

"왜 그래요, 누나?"
"조금 도련님께 여쭙고 싶은 게 있어서……."

한나가 에반에게? 요즘 버나드가 한나에게도 은근슬쩍 연금술을 가르치기 시작했다는 것은 에반도 알고 있었지만…… 혹시 그것과 관련된 질문일까?

에반이 고개를 갸웃하고 있는데, 머뭇대던 한나가 이내 눈을 질끈 감으며 그에게 물어왔다. 생각하던 것과는 완전히 다른 방향성의 질문이었다.

"도, 도련님은 알고 계시죠? 그 아리따운 엘프 여성분은 도대체 누구예요?"

"할아버지를 오랜 기간 짝사랑하셨던 분이요. 아, 참고로 현재진행형이에요."

"역시 그런가요!?"

한나의 표정이 더더욱 심란해졌다. 에반은 그 표정이 뭔지 곰곰이 생각하다가 이내 깨달았다.

전생에 드라마 볼 때 가끔 나왔던, '아버지가 재혼 상대라며 모르는 여자를 집에 데려왔을 때' 그 집 딸이 짓는 표정이었다!

"전 대체 그분을 어떻게 대해야 할지 모르겠어서……."

"그냥 편하게 대하면 되잖아요. 일로인도 그렇게 말할걸요?"

"아니, 실은…… 갑자기 영감님 옆에 그런 미인이 나타나니까, 제가 앞으로 영감님을 어떻게 대해야 할지도 잘 모르겠어요."

"그게 본론이었구나. 즉 할아버지한테 친한 척하기 껄끄럽다?"

"여태까진 상상도 해본 적 없는 일이긴 하지만…… 그분한테 괜한 오해를 받을지도 모르잖아요."

하긴, 한나는 여태까지 버나드에게 직접 제약에 대해 배우는 나름 제자 입장이기도 했고, 에반 다음으로 버나드를 편하게 대할 수 있는 사람이기도 했다.

다만 에반과 한나가 다른 점은 한나는 적령기의 여성이라는 점. 여태까지야 할아버지 대하듯 대해왔지만 갑자기 버나드를 짝사랑하는 젊은(그렇게 보이는) 여성이 나타나니 새삼스레 버나드와의 거리감을 잡기가 어려워졌다는 얘기다.

하지만 에반이 보기에 그 문제는 전혀 없었다. 버나드는 바보가 맞지만 일로인은 바보가 아니기 때문이다.

"누나, 아마 일로인은 누나가 어떻게 생각하는지 다 알 거예요. 그러니 괜한 신경 쓸 필요 없어요. 게다가 누나는 엘프가 아닌 인간이잖아요. 일로인도 종족의 차이는 충분히 알고 있다고요."

"정말 괜찮을까요. 하지만 그렇다고 '저한테 영감님은 그냥 영감님이거든요!' 하고 말하는 것도 어딘가 쓸데없이 신경 쓰는 것 같아서 이상하고……! 그리고 무엇보다도 짜증나는 건……."

"짜증나는 건?"

그 순간 한나의 기세가 돌변했다. 그녀는 발로 바닥을 쿵쿵 찍으며 괴성을 토해냈다. 마치 던전 60층 너머에서 등장하는 인간형 몬스터처럼 무서웠다.

"그 영감탱이, 평소엔 그렇게 한심한데 어떻게 그런 미녀의 사랑을 얻은 거람!? 그것도 아주 여자 쪽에서 푹 빠져있던데, 그러면 여태까지 영감을 놀려댄 제가 이상해지잖아요!"

"어…… 그쪽이 본론이었구나?"

"아, 진짜 기분 이상해요! 도련님은 그 마음 모를 거예요. 내내 바보 취급 했던 오빠가 어느 날 나랑은 비교도 안 되게 멋지고 예쁘고 잘나가는 여자를 약혼녀라며 데려온 듯한 그런 느낌! 저는 라이한 님이랑 진도도 전혀 못 빼고 있는데!"

"그래도 아빠가 아니라 일단 오빠 취급은 해주는구나……."

"그야 물론 저도 알고는 있다고요. 실은 우리 영감님이 대단한 사람이고 바보처럼 착해빠진 사람인 걸 알고 있기는 하지만…… 그래도! 그래도 납득할 수가 없어요, 뭔가 크게 지고 있는 듯한 이 느낌! 이해하시죠, 도련님!? 아시죠!?"

"……누나도 여러모로 고생이 많네요."

에반은 울분을 토해내는 한나를 나중에 라이한과 다시 데이트할 기회를 만들어주겠다는 말로 간신히 달래주는 데 성공했다.

어쩌면 처음부터 이걸 노렸던 것이 아닌가 하는 생각이 들기는 했지만, 사랑은 쟁취하는 거니까! 세르피나도 부디 지지 말고 힘내길!

✳ ✳ ✳

"에반, 너무 던전에 오래 있으면 건강에 좋지 않으니 욕심 부리지 말고 나올 때가 되면 나와야 한다. 알겠지?"

"네, 그럼요."

"에반이 어련히 알아서 잘할 텐데, 걱정할 필요 없어요. 벨루아, 가르쳐준 것만 잊지 않으면 아무 문제도 없을 거야."

"전부 새기고 있습니다, 마님."

다음 날 아침, 에반 일행은 비로소 던전으로 떠날 수 있게 되었다. 물론 후작이 그를 그냥 보내진 않았다. 뭐 대단한 일이라고 후작 일가가 줄줄이 나와 그들을 전송하고 있었다.

"던전에선 항상 눈을 부릅뜨고 다녀야 한다, 훌쩍. 무슨 일이 있을지 모르는 곳이니까 말이다."

"알았어, 형. 충분히 주의할게."

한편 에릭은 동생이 걱정된 나머지 눈물을 흘리며 콧물까지 훌쩍이고 있었다. 그도 던전을 이미 10층까지 탐험했기에, 던전이 얼마나 위험한 장소인지 절절히 깨닫고 있었던 탓이다.

에반 입장에선 고작 20층, 요마대전 썩은물이라면 맨몸으로 돌격해도 함정 한 번 안 걸리고 돌파할 수 있는 초심자 구간에 도전하는 건데 유난이 심한 것도 정도가 있다고 생각했지만!

"후딱 다녀와라, 에반. 네 수업을 빨리 시작하고 싶으니까 말이다. 아니지, 아예 같이 갈까?"

"레오 할아버지랑 같이 가면 우리가 뭘 할 틈도 없이 다 끝나잖아요. 이젠 도망 안 가니까 그냥 여기서 얌전히 기다리고 있으세요."

"에반, 잘 다녀와요. 벨루아, 샤인, 아리샤 그리고 라이한도. 당신들에게 공신의 가호가 머무르기를 기원합니다."

본인이 말했듯 잠시간 후작가의 손님으로 머무르게 된 레오와 아리아도 저택 밖으로 나와 그를 환송했다.

물론 에반과 직접 대련을 했던 만큼 그의 능력에 대해 잘 알고 있는 레오는 전혀 조금도 그를 걱정하고 있지 않았다.

레오는 설령 에반이 맨몸으로 모든 함정을 밟고 지나가도 몸에 상처가 남지 않으리라는 사실을 알고 있는 몇 안 되는 사람 중 하나였다.

"아부우, 에바아! 에바!"

"그래그래, 우리 리즈. 앞으로 조금만 더 힘내자."

"……우리 리즈가 아빠라는 말보다 에바라는 말을 먼저 입에 담다니."

"저는 빨리 그 밑에 받침이 마저 붙었으면 좋겠네요. 그냥 그렇다고요."

언제나 변함없는 에반바라기인 엘리자베스는 지금 그가 던전에 들어가면 당분간 보지 못한다는 것을 알고 있기라도 한지 한참을 그의 품에 안겨 얼굴을 부비며 칭얼댔다.

에반은 그녀를 몇 번 더 토닥여주고는 2부인 미리엄에게 아이를 건넸다. 이제 아이도 생후 1년 반이 지나 제법 무게가 있었다. 아니, 보통 그 나이대의 아이보다 더 큰 것 같기도 했다.

"다녀오겠습니다, 미리엄 어머니."

"무사히, 그리고 최대한 빨리 다녀오렴. 네가 하루 늦어질수록 리즈를 돌보는 게 두 배씩 힘들어진다는 사실을 명심하고."

"며, 명심할게요."

"에바아아!"

서럽게 울며 매달리는 엘리자베스를 간신히 떼어놓고서야 일행은 간신히 저택을 빠져나올 수 있었다. 어째서 고작 던전 한 번 들어가는데 이렇게 진이 빠져야 한단 말인가, 납득할 수가 없다.

"가족 사이가 좋네."

"이젠 그만 좋아져도 될 것 같은데 말이지……."

아리샤가 툭 내던지는 말에 에반은 고개를 절레절레 저으며 중얼거렸다.

하지만 게임 속의 그 한심한 에반조차 어떻게든 보듬어보려 했던 것이 셰어든 후작가이니, 유일한 문제점이었던 에반까지 멀쩡해진 지금은 이렇게 되는 것이 당연할지도 몰랐다.

행복한 가족이다. 지켜낼 수 있다면 좋겠다. ……하지만 저런 애정표현은 이제 슬슬 자제들 좀 해줬으면 좋겠다.

"지금은 가족 얘기는 됐어. 던전에서 어떻게 행동할지에 대해서나 얘기하자."

"……알았어."

에반 일행은 대로를 가로질러 도시 중심부의 던전으로 향하며 던전 안에서의 행동 지침에 대해 간단히 얘기를 나누었다.

아직 새벽이라서 움직이는 사람이 그리 많지는 않았지만, 일찍 던전에 가는 사람이나 반대로 던전에서 나오는 사람들은 에반 일행의 움직임을 보며 눈을 빛냈다.

완벽하게 무장한 그들을 보며 지금부터 그들이 던전에 들어가리라 예상하는 것은 어렵지 않은 일일 터다.

"이번 공략 멤버는 다섯 명이지만 1층부터 5층까지는 전면적으로 아리샤, 네게 모든 것을 맡길 거야. 스스로 판단하고 행동하도록. ……단 옳은 길은 내가 찾아줄게. 시간 낭비를 할 수는 없으니까."

"네가 길잡이 역할까지 하는 거구나."

"그러고 보면 그걸 업으로 삼는 이들도 있었지…… 응, 뭐, 그렇게 봐도 좋아."

길잡이라 함은, 전투의 참여도는 별로 높지 않아도 던전에서 안전하고 빠른 길을 찾아내 일행을 선도하는 것을 전문으로 삼는 자들을 말하는 것이다.

보통 눈썰미가 좋고 몸이 날랜 도적 계열의 직업이 이런 역할을 맡는데, 제대로 된 길잡이가 있으면 던전 공략 시간은 물론이고 안전성이 비약적으로 높아지기 때문에 유망한 길드에서는 한두 명 정도 길잡이를 보유하고 있었다.

'물론 던전 대변화가 일어나면 길잡이들도 바뀐 던전에 적응한다고 또 한 차례 난리를 피우긴 하지만 말이야.'

그렇다면 에반은? 물론 그럴 필요가 없다. 왜냐면 그는 대변화 이후의 던전에 대해서도 이미 완벽하게 파악하고 있기 때문이다! 요마대전 4 시점에서 셰어든 던전의 대변화가 일어나니까!

"훗, 길잡이 역할에 더해 연금술로 보조역까지 수행한다면 60층 너머에서도 충분히 공헌도를 채울 수 있다는 계산이 나오지."

"언제나 그렇지만 도련님의 그 계산에 도련님의 전투력은 포함되지 않는 거겠죠? 다 압니다."

"하지만 내 전투력은 실제로 별 볼 일 없잖아."

에반이 지극히 당연하다는 투로 답하자 샤인은 아리샤를 돌아보며 말했다.

"아리샤 아가씨, 본인은 항상 이렇게 주장하고 있으니까 잘 기억해두세요. 이분은 던전에서도 이럴 겁니다."

"응, 에반이 재밌는 건 하루 이틀 일이 아냐."

"너희 지금 나한테 되게 실례된다고 생각하지 않냐……?"

일행은 곧 던전에 도착했다. 입구를 지키고 있던 기사가 그들에게 정중히 고개를 숙이곤 마법진으로 안내했다.

다섯 명이 손을 잡자 마법진이 자동으로 그들이 다 함께 들어갈 수 있는 층의 한계를 나타냈다. 물론 1층이었다.

"에반 공자님, 안에서는 주의하셔야 합니다. 펠라티 영애가 던전의 공헌도를 확실히 인정받기 위해서는 다른 분이 지나치게 활약해서는 안 되니까요."

"주의 고마워요. 조심할게요."

에반이 방긋 웃으며 답하는 말에 기사는 무척이나 쑥스러워하며 뒤로 물러났다.

물론 기사는 에반이 요마대전 2, 3, 4를 마스터하는 과정에서 던전레벨이 차이 나는 동료들을 던전에서 빠르게 키워내는 데에는 도가 텄다는 사실까지는 모르고 있을 터다!

"……후우."

"뭐야, 아리샤, 네가 긴장도 해?"

"응."

던전에 돌입하기 전, 아리샤가 에반에게 들릴 만큼 크게 숨을 토해냈다. 평소에는 그런 모습을 일절 보이지 않던 아리샤인데 지금은 어째 제법 초조한 기색인 것처럼 보였다.

이제야 조금 제 나이에 어울리는 행동을 하는구나, 싶어 에반이 피식 웃고 있자니 그녀가 말을 이었다. 이 녀석이 말을 길게 할 수도 있는 아이였구나, 싶을 만큼 길게.

"……던전이 무서운 건 아냐. 내가 에반의 기준에 미달되면 어떻게 하지, 나는 그게 조금 무서워."

"아니, 그럴 일은 없는데."

어딜 감히 엑스트라 따위가 메인 히로인의 자격을 검사한단 말인가!? 그야 물론 신인족인 샤인과 벨루아에 비하면 그녀의 능력이 조금 처질지도 모르지만…….

그러나 그녀는 요마대전 시리즈의 메인 히로인 중에서도 유독 비주얼과 작중 비중, 출중한 능력의 삼박자가 잘 맞아떨어진다는 평가를 받는 캐릭터였다.

더구나 마력, 물리 근접 능력을 함께 갖추고 있어 어지간한 상황에는 다 출전할 수 있기도 하고!

'얘가 내 생각보다 좀 더 소심한 애였던가?'

아리샤 폰 펠라티 정도면 어딜 가서도 빠지는 능력이 아닐뿐더러 에반은 이미 그녀의 현시점에서의 능력을 대강이나마 파악하고 있기도 했다.

게임 지식도 없는 그녀가 이 나이에 그만한 힘을 손에 쥐고 있다는 것은 실로 굉장한 일이었다. 그런 그녀가 이런 말을 하다니 솔직히 무척 의외였다.

"난 언제나 우월한 입장에서 타인을 평가만 해왔어. 나보다 능력이 뛰어난 자들을 만나보지 못했으니까. ……그래서 이건 새로운 자극이야. 내가 한 모든 행동은 언젠가 내게 돌아온다, 이젠 그 사실을 알게 됐어."

"그래서 어떻게 할 셈이야?"

"……내게 앞으로도 건방지게 굴 자격이 있다는 걸 증명해야겠지."

아리샤가 스스로에게 다짐하듯 강한 어조로 중얼거리는 그 순간, 그녀의 몸에 일던 미약한 떨림이 완벽하게 멎었다.

의지로 육신을 극복하다니, 이 녀석은 절대로 평범한 열두 살이 아니다!

"내가 던전 기사단의 단원이 되기에 합당한 자질을 지니고 있다는 것을."

"이미 충분하다니까."

"그리고 또 에반에게 지지 않을 정도로 재미난 사람이라는 것을."

"아냐, 그건 증명할 필요 없어. ……그리고 그건 전제가 잘못되어 있지 않냐?"

"하지만 에반은 정말 재밌어. 계속 옆에서 지켜보고 싶을 만큼."

"그런 관심은 필요 없어!"

분명히 조금 전까지만 해도 진지한 문답이 오가고 있었던 것 같은데 어째서 또 이쪽으로 오싹한 시선을 보내오고 있단 말인가. 역시 이 녀석을 상대로는 방심을 할 수가 없었다!

"역시 두 분은 제법 잘 어울린다니…… 끄악! 벨루아, 너 뭐 하는 거야!"

"바보 샤인."

에반과 아리샤의 문답에 샤인이 감탄하여 한마디 말을 흘리다가 벨루아에게 팔꿈치로 얻어맞고 몸을 웅크리며 괴로워했다. 그나마 여우불에 당하지 않은 것이 다행이었다.

'음…… 개판이군.'

이제 바로 던전에 들어가야 하는데 긴장감의 기역 자조차 찾아볼 수 없는 네 명의 아이를 보며, 라이한은 은밀히 다짐했다.

내가 정신을 똑바로 차리고 있어야 한다! 내가 이 아이들을 지켜내야만 한다!

❀ ❀ ❀

"오케이, 1층 끝."

"……이걸로 끝?"

"응, 계단 나왔잖아. 1층엔 함정계단 없어. 신들 메시지 안 들려?"

그러나 결론부터 말하자면, 적어도 당장 라이한이 나설 차례는 없었다.

방패 한 번 들 필요가 없었다.

"우리가 이미 찾아서 무효화된 업적 말고 반복적으로 달성 가능한 업적은 다 찍고 왔으니까…… 어디 보자, 2시간 만에 클리어했네."

"던전은…… 원래 이렇게 쉬운 곳이야?"

그저 에반이 인도하는 대로 빠르게 전진하며, 도중에 몇 번 몬스터 같지도 않은 몬스터를 가볍게 정리했을 뿐인데…… 아리샤는 자신의 레이피어를 멍하니 바라보며 중얼거렸다.

그 옆에서 샤인이 피식 웃으며 말했다.

"제대로 된 길잡이를 만나게 되신 것을 축하드립니다, 아리샤 아가씨."

"길잡이……."

"좋아할 거 없어. 던전을 빨리 클리어했다는 것은, 그만큼 이 플로어에서는 네가 추가로 얻을 수 있는 보상이 없다는 뜻이기도 하니까. 실제로도 레벨만 올랐을 뿐이지? 우린 여기서 이미 추가 스킬을 얻기까지 했어."

"……."

아리샤는 에반의 퉁명스러운 말에도 묵묵하게 고개를 끄덕였다. 작은 가호를 얻기는 했지만 에반이 말하는 보상이란 그런 것을 말하는 게 아닐 테니까.

물론 에반의 길 안내에 따라 던전 1층을 정복한 아리샤는 다른 던전 탐험가에 비하면 압도적인 수준의 업적을 아무렇지도 않게 연속해 달성한 상황이었다.

단지 그래 봤자 던전 1층이기에 추가 보상을 얻지 못했을 뿐, 어디까지나 던전 1층에서 스킬을 얻었던 저번 던전 탐험이 이상했을 뿐이었지만 아리샤는 그 점은 미처 깨닫지 못하고 있었다.

어느덧 그녀마저 던전을 인식하는 기준이 에반과 비슷해지고 있었던 것이다!

"즉 너에게 있어서 진짜 던전은 6층에서부터 시작되는 거나 마찬가지라는 얘기지."

"이미 각오는 되어 있어."

아리샤는 레이피어를 쥔 손에 힘을 꽉 주며 말했다.

"뭐든 할 준비가 되어 있으니, 내가 던전 5층까지 최대한 업적을 많이 세울 수 있도록 도와줘. 뒤처진 만큼 따라잡고 싶어."

"좋아, 그 마음가짐이면 충분해."

추가로 세울 수 있는 업적이 없는 상황에서, 신이 주는 추가 보상을 기대하기 가장 쉬운 효과적인 업적이 무엇인가 하면 그것은 바로.

"스피드."

에반은 그렇게 말하며 씩 웃었다. 아리샤 역시 미약하게 웃었다.

그로부터 다섯 시간 후, 그들은 던전 5층으로 내려가는 계단 앞에 서 있게 되었다.

[너의 레벨이 5로 성장했다. 아무런 망설임도 없이 빠르게 던전을 주파하며 다른 모든 이의 기록을 뛰어넘어 이곳에 이르렀으니, 바람의 업을 짊어지기에 실로 합당한 아이로구나.]
[너의 업적과 적성이 일치하니 새로운 능력을 선물하는 데에 주저가 있을 수 없다. 너의 걸음에 바람을 더해주는 '풍령보'로 하여금 너는 너의 길을 보다 안정적으로 걸어 나갈 수 있게 될 것이다.]

던전 1층부터 4층까지를 신속으로 주파한 끝에 아리샤는 기어이 신들로부터 스킬이라는 보상을 얻어내는 데 성공했다.

그렇다. 던전 층계의 클리어 업적은 본래 누적이 되지 않지만, 빠른 속도로 여러 층계를 연속적으로 돌파할 때에 한해서는 신기하게도 게이지가 쌓이기라도 하는 것처럼 보상이 점점 좋아지는 것이다.

물론 캐릭터를 키우는 입장에서 던전을 실시간으로 공략하면서는 시도할 수 없는 일이고, 이미 어느 정도 완성된 파티에 신규 멤버를 넣어 키울 때에나 시도해볼 법한 일이었다. 즉 지금 상황에 적합한 업적 달성이라는 것.

……물론 그럼에도 불구하고 스킬 보상이 주어진 것이 상당히 놀라운 일이기는 했지만 말이다.

"저게 풍령보……."

"아예 날아다니네요, 날아다녀. 척후 역할은 도련님한테 빼앗기고 빠른 발은 아리샤 아가씨한테 빼앗겼으니, 제게 남은 도적 직업으로서의 정체성은 대체……."

"넌 단검 두 개 다루잖아. 도적 중의 도적 같은 느낌이지."

"아오, 진짜."

아무리 던전 클리어 보상으로 스킬을 얻을 수 있다고 해도, 자신의 적성과 아예 관련이 없는 스킬을 받는다는 것은 있을 수 없는 일이다.

라이한이 방패를 다루는 스킬을 얻었듯, 에반이 주먹을 세게 쥐는 스킬을 얻었듯, 그리고 샤인이 신인족을 강화시켜주는 단련법을 얻었듯 아리샤가 얻은 풍령보는 그녀의 능력, 즉 바람과 연관이 깊은 능력이었다.

"……이 능력, 무척 마음에 들어. 바람의 마나를 이런 식으로 활용할 수 있을 줄은 몰랐어."

"신들이 내리는 스킬이라는 게 다 그렇지, 뭐. 어때, 마음에 들어?"

"두 배…… 아니, 그 이상으로 강해진 느낌. ……재밌어, 아주 재밌어."

"그것참, 좋겠네. 나는 그래 봤자 주먹 세게 쥐는 스킬인데 말이지……."

물론 어디까지나 본인의 능력에 기반을 두지만, 본인 스스로 깨닫기는 지극히 힘든 미지의 가능성. 신들이 선사해주는 스킬은 대개 그런 것이다.

아리샤 역시 바람의 마나로 자신의 레이피어의 날카로움을 강화하거나 그녀의 공격을 보조하는 바람의 칼날을 만들어내어 날리거나 하는 능력을 갖추고 있었지만, 이번에 그녀가 얻은 능력은 그런 것이 아니라 바람의 마력으로 하여금 그녀의 움직임을 직접 보조하는 스킬이었다.

'한정된 시간 동안 빠르게 움직일 수 있도록 하는 버프 스킬. 사제에게 받을 수 있는 신속마법, 즉 헤이스트와도 비슷해 보이지만 그것과는 또 달라. 다르다는 게 무슨 뜻이냐, 즉 버프를 이중으로 적용할 수 있다는 뜻이지. 진짜 무시무시했는데…….'

그렇다. 사실 풍령보라는 스킬은 본작의 아리샤 또한 지니고 있었던 스킬이다.

바람의 마도를 다루면서 레이피어로 근접전을 치르는 그녀의 능력과 발걸음을 비약적으로 빠르게 해주는 풍령보의 조합은 실로 발군이었고, 타이밍 적절하게 풍령보를 발동하면 그녀 혼자서 적진을 전부 쓸어버릴 수도 있었다.

'애초에 몸놀림이 빠르니까, 던전을 도는 와중에 다른 업적을 달성해 얻었을 수도 있지.'

다만 한 가지 확실한 것은 그녀가 이렇게 어린 나이에, 그것도 이런 던전의 저층에서 풍령보를 얻지는 않았을 것이라는 사실이다.

전투의 핵심이 되는 스킬들을 일찍 얻는 것은 미래의 전투력과 직결되는 문제다.

특히 풍령보는 아리샤의 이동속도, 회피율, 명중률에 모두 관여하는 핵심 스킬인 만큼 지금 이것을 얻어두는 데 성공한 것으로 인해 나중에 그녀의 전투력이 최소한 1.5배, 잘하면 두 배까지도 차이가 날 수도 있었다.

"그럼 이대로 5층까지 후딱 깨버리자. 5층까지 빠르게 깨면 풍령보의 레벨을 신들이 올려줄지도 몰라."

"······그런데 5층으로 내려가기 전에 에반에게 묻고 싶은 게 있어."

풍령보를 완전히 몸에 익힌 아리샤가 정확히 에반 앞에 멈추어 서더니 그의 얼굴을 빤히 바라보며 물었다.

"플로어 마스터를 전부 클리어하면 나타난다는 히든 보스에 대해 자세히 듣고 싶어. 그리고 가능하다면 나도 거기 도전하고 싶어."

"그건 최초가 아니면 거의 의미가 없는, 그래서 이젠 전투 업적 이상의 의미는 갖지 못하는 업적이라서 굳이 얘기하지 않았는데…… 누가 얘기해줬냐, 그거."

에반이 일행에게 시선을 주는 순간 샤인이 고개를 휙 돌렸다. 굉장히 노골적인 그 시선 회피에 에반은 친히 아이언 크로를 걸어 그를 응징해주며 ─샤인은 끔찍한 비명을 질렀다─ 말했다.

"던전레벨이 오르고 새로운 스킬까지 얻어서 네가 자신만만해있는 건 알아. 실제로 네가 굉장한 재능을 갖추고 있는 것도 사실이지. 하지만 히든 보스는 달라. 애초에 플로어 마스터를 혼자서 잡는 것만 해도 만만한 일이 아냐."

"샤인과 벨루아는 가능한 거지?"

"그야…… 아마도?"

그건 어쩔 수 없다. 샤인과 벨루아는 9살 적부터 에반에게 집중적인 관리를 받고 자랐으니까.

모르긴 몰라도 그들의 메인 스킬과 아리샤의 메인 스킬의 수준 차이는 극심할 터였다. 제아무리 아리샤가 마도와 무기술을 모두 다루고 있다고 해도 그 차이는 쉬이 메꿀 수 없다.

더구나 엄밀히 말하면…… 캐릭터가 타고난 급수부터가 달랐다. 그녀가 요마대전 3 내에서 10위권 안에 들어가는 강자라면, 샤인과 벨루아는 요마대전 시리즈를 통틀어 탑3의 자리를 놓고 다투는 터무니없는 초강자인 것을!

"그아아, 아파 죽겠다……. 후우, 그리고 사실 그때도 우리가 잡기는커녕 도련님의 투척 한 번으로 끝장내버렸잖습니까."

"그건…… 그건 분명히 그 개체가 이상하게 약했던 걸 거야."

그 타이밍에 샤인으로부터 들어온 냉철한 지적에, 요마대전 시리즈 강자 랭킹은커녕 엑스트라 중에서도 초월적으로 많이 죽어 나가는 랭킹 1위의 자리를 차지하고 물러나지 않았던 에반은 떨떠름한 투로 그렇게 대꾸했다.

그런 에반에게 요마대전 3의 메인 히로인, 레귤러 중의 레귤러 아리샤 폰 펠라티가 한없이 진지한 표정으로 말했다.

"내게 자격을 증명할 기회를 주겠다고 했잖아."

"으, 으음."

에반은 4층까지 클리어하면서 아리샤가 자신 앞에서 보였던 능력을 객관적으로 따져보았다.

물론 싸운 상대들이 별 볼 일이 없었기 때문에 엄격히 판단하는 것은 힘들겠지만, 분명 그녀는 평균적으로 던전에 도전하는 탐험가의 수준을 크게 웃도는 센스를 보였다.

에반도 그것을 보고 과연 레귤러라며 몇 번이고 감탄했었다.

'게임 속 아리샤의 설정대로였다면 절대로 열두 살의 아리샤를 히든 보스와 대면시키는 일은 없었겠지. 하지만…….'

샤인과 벨루아가 게임 시절과는 완전히 다른 길을 걷게 되어 크게 성장했듯이, 아리샤 역시 던전 기사단에 입단한다는 구체적인 목표를 갖고 던전도시에 머무르게 되면서 게임에 등장하던 아리샤 폰 펠라티와는 상당히 다른 길을 걷게 된 것 또한 사실이었다.

'어린 나이에 갑자기 주위에 라이벌들이 늘어나서 그랬던 걸까, 내 예상보다도 월등히 빠른 속도로 강해져서 놀랐었지…….'

레이피어를 다루는 그녀의 무기술과 바람의 마도는 이미 던전 탐험가로서 활약하기에 충분한 수준이었으며, 지금의 그녀는 거기에 더해 풍령보까지도 익혔다.

무기술이나 마도 수준은 샤인과 벨루아에 비해 많이 떨어지는 것이 사실이지만, 사기스킬 풍령보의 존재를 감안한다면 아리샤가 마냥 그들에 비해 처진다고 단언할 수도 없었다.

　"……좋아, 그럼 일단 플로어 마스터를 1대1로 꺾어봐. 그 모습을 보고 판단할게."
　"알았어."

　아리샤의 안색이 눈에 띄게 밝아졌다. 그러나 에반은 여전히 엄격한 어조를 유지하며 거기에 덧붙여 말했다.

　"그리고 만약 그 결과 히든 보스에게 도전하게 되어도, 그전에 라이한 형에게 신성마법을 받고 내가 주는 보조용 포션을 마셔야 해. 그러지 않고선 히든 보스에게 도전하는 것 자체가 어불성설이야."
　"그것도 알았어."

　아리샤는 진지한 표정으로 고개를 끄덕였다. 던전에 들어가기 직전, 에반과 대화를 나누며 지었던 표정과 같은 표정이었다.

　"물론 도련님은 그런 거 필요 없이 구슬 하나 던져서 그놈의 머리통을 터트렸지만."

"글쎄 넌 조용히 하라고."

"그아아앗!"

던전 5층은 유독 넓고 함정도 많은 플로어이지만, 이미 5층의 구조를 완벽히 꿰고 있을 뿐만 아니라 이전 한 번 던전에 들어오면서 군데군데 자기 나름의 표식을 남겨두기까지 했던 에반은 금세 자신들의 위치를 파악해 그들을 이끌었다.

그 결과.

"좋아, 일단 첫 번째 보스 룸 도착."

"5분도 안 걸린 것 같은데요!?"

물론 이전 던전에 들어왔을 때에 비해 그들의 이동속도가 빨라지긴 했지만 그래도 지금은 던전 초행인 아리샤까지 대동한 상황인데! 에반이 지닌 길잡이로서의 가공할 재능에 일행은 하나같이 전율했다.

이쯤 되면 대체 에반이 못하는 것은 무엇인가, 마법도 못 다루는 척하고 있지만 실은 자유자재로 구사할 수 있는 것이 아닌가 하는 생각이 들 정도였다.

"아리샤, 네가 정말로 히든 보스인 블러드 고블린 파이터를

1대1로 싸워 이기고 싶다면 고블린 워리어 정도는 압도적으로 이길 수 있어야 돼."

"각오는 되어있어."

에반이 안내하는 길을 따라 내달리면서도 숨결 한 번 흐트러지지 않고 고요함을 유지한 채, 아리샤는 굳게 고개를 끄덕였다.

그 순간 그녀의 손에 쥐인 레이피어 위로 옅은 바람의 칼날이 덧씌워졌다. 지극히 자연스레 능력을 발현한 것이다.

"그러면 다녀올게."

"고블린 워리어 뿐만이 아니라 고블린 아처들도 대기하고 있으니까 주의해."

"응, 그들의 화살에는 당하지 않아."

플로어 마스터 배틀 룸의 구멍에 금화를 한 개 던져 넣자 금세 문이 열렸다.

그러나 그 안에는 오직 그녀 혼자 입장했다. 라이한까지 입장하게 되면 몬스터들의 주의가 그에게만 향하게 될 테니까.

"아아, 기어이 펠라티 가문의 영애를 혼자 배틀 룸 안으로 밀어 넣고 말았어."

"최악의 경우라도 죽지는 않을 거예요. 그 정도 방비는 시켜났으니까 너무 걱정하지 마요."

"물론 알고 있습니다만, 그래도 만약 안 좋은 트라우마라도 얻게 된다면……."

"……끝났어."

"음?"

에반과 라이한이 심각한 표정으로 대화를 나누고 있는데, 어느덧 배틀 룸의 문이 다시 열리며 그 안으로부터 태연한 안색의 아리샤가 걸어 나왔다.

그녀의 검 끝에서 뚝뚝 떨어지는 검은 피가 보였다. 아마도 그것은 고블린 워리어의 피일 것이다.

"뭐야, 끝났다고?"

"진짜 다 죽이셨는데요?"

습관처럼 시미터를 들고 안으로 돌격해 고블린 시체에 전부 검을 푹 꽂았다 빼내며 피 흡수 겸 생사 확인 의식을 거행하던 샤인이 확답을 주었다.

에반은 얼떨떨한 표정으로 아리샤를 바라보았다. 아리샤는 담담하고 도도하게 말했다.

"풍령보 덕에 발걸음이 빨라졌으니 내 전투의 호흡도 자연적으로 빨라졌을 뿐. 그리고 상대적으로 적이 너무 느렸어."

"……이게 그런 문제였나?"

"다음 배틀 룸에 도착할 즈음엔 다시 풍령보를 구사할 수 있게 될 것 같아."

풍령보는 시간제한이 있는 액티브 스킬. 마나 소모도 상당할뿐더러 연달아 사용하면 몸에 부담이 온다.

따라서 그 부담을 해소하기 위해서만 그녀는 신성마법을 받고 에반의 포션을 마셨다. 반대로 말하자면, 그녀가 일행으로부터 받는 도움은 그 정도로 충분했다.

"끝났어. 너무 쉬워."

"여기도."

"다 패턴이 같아. 지루해."

"이 녀석들은 재미가 없어."

"……조금 더 재밌는 녀석과 싸우고 싶어."

결국 한 시간도 안 되어 아리샤는 5층에 넓게 퍼진 플로어 마스터 배틀 룸을 모두 정복해 마석을 수거하는 데에 성공했다.

고작 1시간 만에 그 모든 장소를 클리어할 수 있도록 길을 안내한 에반도 에반이지만 불과 몇 초 만에 플로어 마스터들을 정복해버리는 아리샤의 실력도 실력이었다.

"뭐, 뭐지? 실은 이 녀석도 신인족이었나!?"

"그러고 보면 아리샤 아가씨도 신인단련법을 배우기는 하셨는데…… 아니, 그럴 리가 없잖습니까."

"후우…… 에반이 말한 대로 자격을 증명했어."

차라리 샤인이나 벨루아가 이랬으면 별로 놀라지 않았을 텐데, 그저 반년간 그들과 함께 있었을 뿐인 아리샤가 급격히 강해진 것에 놀라는 에반.

그러나 아리샤는 여전히 담담한…… 그러면서 어딘가 뿌듯함이 느껴지는 얼굴로 에반에게 요구했다.

"그러니 이제 나도 너희와 같은 곳에 서게 해주겠지."

"……끄응. 알았어, 알았다니까."

에반은 그녀의 말 속에서 어딘가 자신을 탓하는 구석을 읽어내 께름칙한 표정을 지으면서도, 끝내 그녀를 히든 보스 배틀 룸으로 안내하는 수밖에 없었다.

히든 보스가 머무르는 배틀 룸 주위에는 '침식'이라 불리는 현상으로 인해 온갖 풀이 우거져 있어 한층 비밀스러운 분위기를 유지하고 있었다.

도처에 활성화된 위험천만한 함정도 많아, 신비로운 자연환경에 깜박 속아 다가갔다간 낭패를 보는 경우도 많았다. 던전에 처음 들어가는 탐험가들은 절대로 접근해선 안 되는 위험구역이라며 주의를 받곤 했다.

"그리고 그 안에 있는…… 자, 이 방이 히든 보스 배틀 룸이야."

"이렇게 함정이 있는 듯 없는 듯 가볍게 헤치고 나올 거면 그런 설명은 대체 왜 하시는 겁니까, 도련님."

"혹시라도 나 없이 너희끼리 올 때는 조심해야 된다는 의미에서 말해두는 거지."

"……여태까지 함정이 있는 거였구나. 몰랐어."

에반과 함께하는 던전 탐험에서 함정은 두려워할 필요가 없었다. 보통은 함정이 있다는 사실을 인지하기도 전에 에반이 비드를 날려 파괴하게 마련이니까.

그나마도 이번엔 아리샤가 던전을 혼자서 공략해야 하기에 에반도 함정을 건드리지는 않고 완전히 피해 가는 쪽으로 방향을 잡아서, 아리샤는 아직 함정이 발동하는 모습조차 본 적이 없었다.

"원래는 함정을 파괴하는 것도 업적이라서 해두면 좋은데, 어쩔 수 없지. 6층부터는 다시 다 같이 하는 공략이니까 빈틈없이 챙겨야겠어."

"글쎄 도련님은 그러면서 대체 왜 자기 공헌도 수준을 걱정하시는 거냐니까요……?"

"아리샤 양, 배틀 룸에 들어가기 전에 신성마법을 걸어드리겠습니다. 사제직으로부터 물러난지라 위력이 조금 떨어집니다만, 그래도 도움이 될 겁니다."

"고마워요."

에반과 샤인이 만담을 하는 사이 라이한이 아리샤에게 버 프를 걸어주었다.

위력이 떨어진다느니 어쩌니 해도 라이한은 전신의 교단뿐 만 아닌 다른 모든 교단에서까지 주목하고 있던 인재. 그의 버 프를 받은 아리샤는 하늘이라도 날아갈 수 있을 것만 같은 기 분이었다.

"발이 더 빨라졌어."

"어때, 아리샤. 그 상태에 적응할 수 있겠어?"

"할 수 있어."

몇 번 몸을 움직여보던 아리샤는 에반의 질문에 머뭇거리 지 않고 고개를 끄덕였다. 그러자 에반은 아무 망설임 없이 그 녀에게 약병을 건넸다.

"그럼 이제 이것까지 마셔. 아마 적응하기 겁나 힘들어질 거야."

"……에반은 조금 짓궂은 면이 있어. 복수?"

"네가 평소에 나를 괴롭히고 있다는 자각은 있는 거지, 그치?"

"후우."

아리샤는 에반의 반박에는 대꾸하는 일 없이 그의 손에서 약병을 받아 들어, 조금 심호흡을 하는가 싶더니, 이내 그것을 쭉 들이켰다.

그런데 포션을 마시는 그녀의 표정이 조금 오묘했다.

"이거, 너무 맛있어……. 포션이 아니라 고급스러운 차를 마시는 느낌."

"아, 그건 맛있을 수밖에 없어. 그냥 그런 이유가 있다고만 알아둬."

장래를 촉망받는(자칭) 떠오르는 샛별(자칭) 연금술사 에반 디셰어든의 특제 한 방 버프 포션.

신체 수준은 물론이고 마력까지 한 단계 끌어올려주는 이 포션은 버나드와의 연금술 수업을 통해 몇 번이고 개량했으며, 실은 바로 어젯밤에 궁극의 재료를 한 가지 추가해 완성시킨 아주 고오급 포션이었다.

그렇다, 바로 어젯밤. 에반은 엘프 일로인으로부터 받아 온 엘븐 티의 찻잎을 조금 떼어내 잘게 부숴 이 포션에 첨가한 것이다.

즉 포션에 세계수의 잎이 들어간 것이다! 그런데 맛이 없으면 안 되지 않겠는가, 효과가 없으면 안 되지 않겠는가!

'물론 당시엔 블러드 고블린 파이터와의 전투가 아닌 고블린 워리어와의 전투를 상정해서 만든 거였지만 말이야……'

에반은 어젯밤까지만 해도 아리샤의 실력을 확신할 수 없었고, 아리샤의 의지를 확신할 수 없었다.

그래서 만약 그녀가 고블린 워리어와 전투를 치르지 못하겠다고 하거나 조금 밀린다 싶으면 그때 이 약을 마시게 해줄 생각이었다.

그러나 결론부터 말해 그 생각은 한없이 오만한 것이었고, 아리샤를 얕보는 것도 정도가 있었던 셈이다.

결국 아리샤는 조금의 버프도 받지 않고 순수한 실력으로 고블린 워리어를 압도했으니까!

'그 정도 능력이라면, 확실히 신성마법과 포션까지 복용한 지금의 아리샤라면 블러드 고블린 파이터를 상대로 이겨낼 수 있을 거야. 다만 상처를 입을지도 모르는 게 문제인데…… 그럼 내가 같이 배틀 룸에 들어가서 대기를 하고 있어야겠다.'

물론 아리샤의 안전을 위해서라면 라이한이 같이 들어가는 게 제일 좋지만 그렇게 되면 제대로 된 업적을 세울 틈도 없을 테니 어쩔 수 없었다.

하지만 이젠 에반의 투척 스킬도 많이 발전했으니, 여차할 상황에는 도움이 되어줄 수 있으리라. 에반은 속으로만 고개를 끄덕이며 아리샤를 돌아보았다.

"후, 후우우……."

슬슬 약효가 받는 것일까, 그녀는 몸을 가누는 데에 제법 고생을 하고 있었다. 에반은 쓴웃음과 함께 물었다.

"어때?"
"신성마법보다 강렬해."
"그 두 가지 효과가 섞이기까지 했으니 더할 거야. 하지만 잊지 마, 거기에 넌 풍령보까지 더해야 해. 던전레벨 5에 불과한 네가 블러드 고블린 파이터를 상대한다는 건 그런 일이야."
"……."
"할 수 있겠어?"

물론 에반은 그렇게 물어보면서도 그녀가 뭐라고 답할지 알고 있었다. 역시나, 아리샤는 짧은 심호흡 끝에 중심을 잡고 제자리에 서며 이를 악물었다.

"할 수 있어."
"좋아, 그럼 같이 들어가자."
"도련님, 또 들어가자마자 본능적으로 배틀비드 던지고 그러시면 안 됩니다."

"아, 안 한다고."

이상하다, 처음 만났던 시절의 샤인은 결코 저렇지 않았는데 이상하게 요즘은 자꾸 에반의 머리 꼭대기 위에 앉으려는 것 같다.

어떻게 하면 샤인을 골려줄 수 있을까 고민하던 에반은 곧 좋은 생각을 냈다. 지상에 올라가거든 레오에게 샤인도 소개하는 것이다!

쌍단검술도 검술의 일종이니 레오가 샤인에게 도움이 되어줄 수 있겠지, 그리고 샤인은 죽어나는 것이다!

더불어 뛰어난 재능을 지닌 샤인을 가르치느라 레오가 상대적으로 에반은 덜 괴롭히게 될 테니 이 얼마나 완벽한 플랜이란 말인가!

"도련님이 저런 표정을 짓고 계시면 대체로 썩 좋은 일이 일어나질 않던데……."

"아리샤, 마석 다 넣었어?"

"응."

에반은 석연찮은 표정을 짓고 있는 샤인을 무시하고, 아리샤와 함께 보무도 당당하게 히든 보스 배틀 룸 안으로 입성했다. 그 안에는 이전에도 그러했듯 블러드 고블린 파이터가 자리하고 있었다.

[쿠아아아아아아!]

"……흐."

시뻘건 털, 일반적인 고블린과는 비교도 안 되는, 잘 단련된 인간 남성에 비견되는 거대한 덩치, 전신에 걸친 질긴 가죽 갑주.

무엇보다도 위협적인, 초승달처럼 번쩍이는 커다란 시미터. 본디 던전의 20층 이하에서만 등장해야 하는 고블린의 상위 변종…….

"블러드 고블린 파이터."

[캬하아아아아아아!]

셰어든 던전 5층의 히든 보스, 탈출을 꿈꾸는 죄인 블러드 고블린 파이터는 두 소년소녀를 보며 환희했다. 실로 오랜만에 맡게 된 피 냄새에 흥분하듯 코를 벌름거리며 시미터를 그들에게 들이댔다.

반면 에반은 그놈의 위풍당당한 모습을 보며 고개를 갸웃하고 있었다.

'이상하다, 역시 그때 봤던 그놈하고 똑같이 생겼는데. 그럼 내 힘이 정말 어느 정도 있긴 한가 보다…….'

사실 에반은 여태까지도 '혹시 내가 이전에 쓰러트렸던 놈은 뭔가 몸에 하자가 있거나 변이가 덜 되었거나 한 허접이 아니었을까?' 하는 생각을 갖고 있었는데, 지금 이놈을 보니 어째 그놈이 그놈인 것처럼 보였다. 아니, 확실했다.

"······물러설 수 없어."
"어, 어어. 힘내."

그런 한편 그의 옆에 나란히 서 있던 아리샤는 블러드 고블린 파이터의 모습에 위압이라도 당한 것인지 그녀답지 않게 긴장한 기색으로 침을 꼴깍 삼켰지만, 이내 각오를 단단히 다지고는 앞으로 한 발 내딛고 있었다.

"똑똑히, 지켜봐줘."
"어······ 응."

자신의 능력과 던전의 수준에 대한 고뇌에 빠져 있었던 터라 아리샤의 진심이 담긴 말에도 어정쩡하게 대꾸하는 에반.
그러나 긴장하고 있던 아리샤는 에반의 말을 순수한 응원으로 받아들여 굳게 고개를 끄덕이곤 그 자리를 쏜살같이 뛰쳐나갔다.

[크학!?]

작은 소녀가 발한 신속에 놀란 블러드 고블린 파이터 역시 시미터를 들고 두 눈을 부릅떴으나 늦었다. 바닥에서 발을 뗀 순간 이미 그녀는 고블린 파이터의 품에 근접해 있었으니까!

"흡……!"

블러드 고블린 파이터가 쭈뼛거리며 휘두르는 시미터를 가볍게 무시하고 돌진하는 아리샤.
어느덧 그녀가 쥐고 있는 레이피어를 미약한 바람이 감싸고 있었다. 보다 날카롭고, 보다 길게. 그녀의 레이피어 공격을 시리즈 최강의 찌르기로 만들어주는 바로 그 능력!

"하앗!"

놈의 더러운 숨결이 닿을 만큼 지척에 도달한 바로 그 순간. 아리샤는 강하게 땅을 디디며 전신의 힘을 끌어올려, 몸을 튕기듯이 정면으로 칼을 찔러 넣었다. 교본에 나올 법한 깨끗한 찌르기였다.

[크갸아아아악!]

바람에 힘입어 보다 강하고 빠르게 내쏘아진 레이피어가 블러드 고블린 파이터의 어깻죽지를 깊숙이 파고들어 사방에 붉은 피를 뿌려냈다.

길쭉한 레이피어 끝으로 뻗어나는 바람이 상처를 보다 깊이, 깊이 파고들며 근육을 자르고 뼈를 갈라냈다!

"흡."

근거리에 있었음에도 소녀는 고블린의 피에 몸을 적시지 않았다. 공격에 성공한 순간 검을 쥐고 빠르게 몸을 뒤로 빼내며, 다음 순간엔 놈의 다른 허점을 찾아 공격해 들어가고 있었으니까.

"핫!"
[캬하아앗!]

에반은 아리샤가 버프에 휘둘리지 않고 침착하고 빠르게 움직이며 정확하게 적의 약점을 찔러 들어가는 것을 보며 감탄했다.

심지어 그녀는 적의 상처에서 쏟아져 나오는 피를 피해 몸을 놀리는 여유까지 확보하고 있었다.

"훗! 흐웃!"

빠른 풋워크, 그것에 동반되는 예리한 찌르기의 연격. 마치 동시에 서너 군데에서 아리샤가 나타나 놈에게 검을 찌르고 있는 것만 같았다.

지나치게 빠른 움직임에 그것을 상대하는 블러드 고블린 파이터는 역으로 움직임이 꼬였다.

정신을 똑바로 차리고 있어도 빈틈이 보일 지경인데 폼이 무너지니 더더욱 치명적인 빈틈이 드러나고, 자연히 레이피어는 보다 사납게 날뛰며 놈의 몸통에 구멍을 하나둘 늘려나 간다!

'하, 진짜 대단하네……. 내가 만들긴 했지만 약효가 터무니없을 텐데, 그걸 온전히 받아들여 움직일 수 있다니.'

역시 레귤러는 뭐가 달라도 다른 것일까, 어떤 조건에서도 스스로의 능력을 100% 이상으로 활용할 줄 아는 것을 보면 괜히 시리즈의 주역을 맡아 하는 게 아니구나 싶었다.

'하긴 샤인과 벨루아가 세계관 끝판왕급의 사기일 뿐, 아리샤만 되어도 지닌바 재능만으로도 주인공에 필적하는 사기캐였으니까.'

에반은 블러드 고블린 파이터를 상대로 분투하는 아리샤의 모습을 보며, 새삼스레 게임 지식에 불과할 뿐인 자신의 기존 상식에 맞추어 사람의 서열을 매기려 했던 스스로의 아둔함을 반성했다.

'어쩌면 앞으로의 아리샤는 샤인, 벨루아보다 더욱 강해질 수 있을지도 모르지. 게임에서의 그녀는 주인공을 만나기 전까지 어느 정도 수동적인 면모를 보였지만, 지금의 그녀는 결코 그렇지 않으니까.'

물론 그것은 샤인과 벨루아, 라이한이나 다른 사람들에게도 또한 마찬가지로 적용할 수 있는 말이다. 그들의 미래와 가능성은 누구도 단정할 수 없다. 당장 본편에서는 메이벨이 저런 만능 커리어 우먼으로 성장할 기미조차 없지 않았던가?

게임은 어디까지나 게임일 뿐, 그 게임 속에 등장하던 인물들과 실제 이 세상에서 살아가는 인물들은 다르다. 설령 지닌바 재능과 과거는 같을지 몰라도 앞으로는 판이하게 다를 터였다.

그것을 아리샤가 극단적으로 증명해내고 있었다.

"흡!"
[크아아악!]

명색이 히든 보스임에도 불구하고 아리샤에게 속수무책으로 밀리는 블러드 고블린 파이터.

에반은 놈이 필사의 각오를 담아 내지른 시미터를 가벼운 발놀림만으로 피해내고는, 그것을 기다리고 있었다는 듯 쏜살같이 레이피어를 뻗어내 놈의 미간을 꿰뚫어버리는 아리샤의 모습을 보며 피식 웃어버리고 말았다.

"그래, 미안했다, 내가 정말."

물론 그녀가 레귤러이며, 나아가 앞으로 언젠가 나타날 주인공의 배필이 될 메인 히로인이라는 사실을 완전히 잊어버릴 수는 없겠지만.

적어도 그 순간이 오기까지는 그녀 역시 샤인이나 벨루아, 라이한과 동등한 에반의 기사단 동료가 되어 함께 성장하리라.

셰어든 던전 5층, 히든 보스가 완전히 클리어되는 순간이었다.

[너의 레벨이 6으로 성장했다.]

본래 던전을 클리어한 자들에게 들려오는 신의 메시지는 그리 길지 않다.

그나마 플로어 마스터를 클리어하고 나면 두 문장 정도 치하를 받는 경우도 있지만, 거기서 더 늘어나려면 새로운 스킬을 얻거나 직업을 획득하는 경우 정도였다.

[어린 여아가 홀로, 또한 자신의 능력만으로 죄수를 물리쳤으니 그 업적은 실로 대단하다. 비록 그 길을 이끌어준 이가 있었으나, 너의 담대한 의지와 빛나는 재능이 없었다면 그 길을 훌륭히 완주해내지는 못했을 터.]

하지만 에반과 함께 던전에 들어온 이들에게는 어김없이 구구절절이 길게 이어지는 신의 메시지를 듣는 것이 당연한 일로 취급되고 있었다.

신이 한 명의 인간에게 시간을 할애한다는 것은 그것만으로도 굉장한 일이었으나, 던전에 들어오자마자 이런 일을 겪게 된 에반 일행에게는 이제 자연스러운 일이 됐다. 아리샤도 물론 마찬가지였다.

[그렇기에 너는 네가 세운 업적, 짧은 기간에 완주한 길에 대한 보상으로서 새로운 직업을 얻게 될 것이다. 허나…….]

그러나 사실 5층을 클리어했다고 해서 누구나가 직업을 얻을 수 있는 것은 아니었다! 어디까지나 직업을 얻을 확률이 높다는 것이지, 그것도 기본 직업을!

개인만을 위한 직업 같은 사치스럽고 호화로운 보상을 얻는 것은 30층도 일렀다. 그런데 그것을 아리샤는 지금 당연하게 얻어내고 있었던 것이다!

[허나 너는 바람이다. 바람 중에서도 변덕스럽고 급작스럽게 스쳐 지나가는 차가운 바람. 너는 얼마든지 홀로 비행할 수 있으며, 본래 너에게 예정되어있던 운명 또한 그것이다. 너는 하나의 존재 곁에 머무르는 돌개바람이 아니다. 하물며 누군가의 뒤를 따르는 바람은 더더욱 아니다.]

아리샤의 귀에 한꺼번에 여러 신의 목소리가 들려왔다. 사실 그것은 이전의 샤인에게도, 벨루아에게도, 그리고 라이한에게도 공평하게 들려왔던 목소리였다.

정해진 운명, 누가 정해놓았는지도 모를 운명에 대해 논하며 그들이 나아가고 있는 방향이 바르지 않은 길임을 강조했다. 그리고 모든 것을 설명한 끝에는 그들에게 선택권을 주었다.

[그렇기에 스스로의 길을 선택할 기회를 주겠다. 네가 무엇이 되고 싶은가, 스스로 선택해야 하는 것이다.]

[그러나 잊지 않기를, 너는 본디 자유로운 바람이며 그런 너를 누군가 속박하게 된다면…….]

"……나는 자유로운 바람이니, 머무르고 싶은 곳 또한 내가 정해."

그리고 물론, 다른 이들이 그러했듯 아리샤 또한 스스로의 의지로 자신이 나아갈 길을 선택했다.

애초에 그녀는 자신의 운명이 정해져 있다는 말부터가 무척 웃기게 들렸다. 변덕스럽고 자유로운 바람이 되는 것이 그녀의 운명이라고? 이미 그것 자체가 속박이 아닌가!

"자유란 하고 싶은 일을 하는 것. 재밌다고 생각되는 것을 즐기는 것. 나는 지금 에반의 곁에 머물고 싶어."

[역시…… 외도를 걷는 자의 곁에 있는 다른 모든 이의 길마저 결국 어긋나게 되는구나. 그러나 이것 또한 새로운 운명이니, 우리는 그것을 인정하고 받아들이며 더욱 사랑하리라. 그러니 아이야, 너는 앞으로 '돌개바람의 수습기사'라고 불리게 될 것이다.]

[그와 함께 너만을 위한 마도의 검이 주어지리라. '선풍의 레이피어'는 오직 너만을 위해 탄생한 검이니, 육체와 마력을 다루는 기술이 한 점으로 응축되었을 때 비로소 완성되는 검이다. 그 끝을 보는 것 또한 너에게만 허락되리니, 깊이 궁구하고 신중히 나아가라.]

신들은 그녀의 선택을 존중하고 받아들였으며, 나아가 그녀에게 기꺼이 새로운 힘과 가능성을 안겨주었다.

완전히 새로운, 즉 게임 속의 아리샤 폰 펠라티가 걸었던 길과는 다른 길을 기꺼이 밝혀주었다.

"……신비한 기분."

아리샤는 그냥 던전레벨이 오르던 때와는 또 다른, 신체가 뒤틀리며 내부에 새로운 내장기관이 생겨나는 듯한 감각에 몸을 살짝 떨었다.

풍령보를 익힐 때도 그랬지만 지금은 그 느낌이 더했다. 아마도 그만큼 방금 자신이 얻은 돌개바람의 수습기사라는 직업이, 선풍의 레이피어라는 기술이 그녀에게 큰 영향을 끼치고 있다는 증거이리라.

"무사히 끝났나 보네."
"응. 새로운 직업과 능력을 얻었어."

아리샤가 스스로의 육체를 점검해보며 기묘한 표정을 짓고 있던 그때 멀찍이서 그녀의 레벨 업을 기다리고 있던 에반 일행이 다가왔다.

"허, 진짜 어김없이 5층을 클리어하니까 직업이 생기네. 현물 보상은 별거 없어도 확실히 히든 보스를 사냥하는 게 직업 얻는 데에는 직빵인가 보다."

에반은 아리샤마저 정말로 직업을 얻었다는 사실에 감탄했다. 그런 그의 눈이 반짝이는 것을 보며 샤인이 눈을 가늘게 뜨고는 물어왔다.

"그 말씀인즉슨 앞으로 던전 안에 데려오는 신인족 아이들에게도 전부 이 블러드 고블린 파이터를 사냥하게 할 거라는 말씀이시죠?"

"그렇게만 된다면 무척 좋겠지만……."

에반은 샤인의 그 말을 듣고 잠시 고민했다. 물론 원래는 그럴 생각 따윈 없었다. 샤인도 벨루아도 아닌, 게임 인물사전에 실리지도 않은 무명의 신인족이 던전레벨 5 정도로 히든 보스를 잡아낼 수 있을 리가 없다고 생각했으니까.

그러나 이젠 게임 속 배역 문제로 지나치게 고민하지 않기로 하지 않았는가. 그렇다면 주역이 아닌 이들의 가능성도 당연히 인정해야 하는 것이었다. 자신을 믿고 따르는 아이들을 자신 또한 믿고 의지해야 하는 것이 맞았다.

"……어때, 샤인. 예비 단원들을 직접 가르치는 부단장 입장에서 냉정히 판단한다면, 가능할까?"

"솔직히 말씀드린다면…… 도련님의 도핑 약이 있으면 얼마든지 가능할 것 같은데요."

히든 보스 배틀 룸에서 벌어지는 전투를 지켜본 것은 에반뿐만이 아니라 다른 일행들도 마찬가지였다. 그리고 하나같이 감탄했다. 아리샤의 능력과 센스에, 그리고 신성마법과 에반의 약물 효과에!

신들은 아리샤가 본인만의 힘으로 완주했다고 했지만 엄밀히 말하면 그것은 사실이 아니다. 물론 그녀의 능력은 탁월했지만, 그렇다고 지금 시점에서 20층 너머에나 등장하는 블러드 고블린 파이터를 쉽게 꺾을 정도는 아니지 않겠는가.

'그런데 그걸 어떻게 사제의 마법과 약을 마신 정도로 그렇게까지 강화시킬 수 있는 건지.'

전투를 지켜보며 몇 번이고 입을 떡 벌렸던 샤인이다. 히든 보스와 싸우기 전 아리샤의 능력을 알고 있었기에 더더욱 경악했다. 대체 에반이 만든 약의 약발이 얼마나 좋았으면!

"도핑이라고 하지 마라, 이놈아. 버프라는 좋은 표현 놔두고."

"연금술에 대한 얘기를 할 때는 버나드 님의 말투를 닮아가시네요, 도련님."

"아, 아니야, 임마. 그리고 약이나 신성마법이 아무리 좋아도 본판이 받쳐주지 않으면 소용이 없어. 그것 하나만은 확실해."

물론 에반의 연금술도 그간 버나드에게 인정을 받을 만큼 발전했고, 그가 만든 약이 좋은 효과를 낸 것도 사실이었다.

다만 그렇게 일시적으로 늘어난 신체능력을 아리샤가 제대로 통제하지 못했다면 블러드 고블린 파이터를 이길 수는 없었으리라.

너무나 만만해 보였지만 놈은 사실 그렇게 만만한 적이 아니다. 모두 아리샤에게 자신의 신체능력을 고스란히 살려낼 수 있는 기술이 있었기 때문에 이길 수 있었던 것이다.

'결국 그 업적을 고스란히 인정받아 새로운 직업을 얻었을 정도니까…….'

그렇다면 그것을 신인족 아이들을 대상으로도 똑같이 적용할 수 있을 것인가. 에반은 지금도 맹훈련을 하고 있을 아이들의 모습을 떠올려보며 잠시 고민했으나 끝내 고개를 끄덕였다. 그도 샤인과 같은 결론을 낸 것이다.

"우리 애들도 할 수 있어요. 다들 엄청 노력하고 있으니까. 그리고 분명히 결과도 받쳐주고 있습니다."

"음, 그래. 나도 그렇게 생각해."

물론 개개인이 아리샤의 능력을 뛰어넘는 것은 아직은 불가능할지도 모른다. 제아무리 수련 효율이 좋았다지만 수련 시간 자체에, 나이에 압도적인 차이가 나니 어쩔 수가 없다.

하지만 그들이 팀워크를 제대로 살릴 수만 있다면, 그들만의 힘으로도 충분히 5층의 히든 보스를 공략할 수 있을 것 같았다.

'그래, 앞으로도 이 전술이 좋을 것 같아. 신인족 애들의 기초를 확실히 잡기 위해서라면 이 정도 투자는 해야지. 약값은 많이 깨지겠지만…… 그래도 하자. 던전 기사단 전원 히든 보스 돌파, 까짓거 한번 해보자고.'

대상의 능력을 극단적으로 끌어올려주는 약은 들어가는 재료도 비싼 데다 후유증도 지대했다.

다만 에반은 자신의 연금술 능력과 더더욱 비싼 재료들을 동원해 그 후유증을 거의 없는 수준으로까지 떨어트릴 수 있었는데, 그 덕에 생산비는 안드로메다 너머로 넘어가는 실정이었다. 마지막에 더한 엘븐 티 잎의 희귀성에 대해선 굳이 입 아프게 말할 것도 없다.

그래도 그 효과를 실감했으니 어쩌겠는가? 만들어야지.

이번 아리샤의 던전행은 여러모로 좋은 선례를 남겼다. 에반의 근본적인 인식도 뒤바뀌었고, 그에 따라 앞으로의 기사단 운영도 크게 달라지리라!

"그런데 아리샤 아가씨."
"음?"

에반이 한숨을 쉬며 할 일 목록에 버프 포션 생산을 추가하고 있는데, 샤인이 아리샤에게 질문을 하는 것이 들려왔다.

"결국 직업 이름이 뭡니까? 앞으로 같은 파티로 움직일 건데 우리끼리는 알아야 하지 않겠습니까."

"표정이 웃고 있는데. 뭔가 저의가 있어?"

"아뇨, 그런 거 없습니다. 참고로 저는 피의 집사입니다. 피의, 집사. 그냥 알아두시라고 하는 말입니다."

"……저는 마도 시녀입니다. 도련님을 가장 가까운 곳에서 보필하는 몸으로서, 무척 만족하고 있습니다."

이 녀석들이 그새를 못 참고 또 어필을 하다니! 벨루아는 또 왜 그 옆에 가서 은근슬쩍 잘난 듯한 표정을 짓고 있는 건데!

에반은 어이가 없어 그들을 돌아보았다. 조금 떨어진 곳에서 라이한이 입을 굳게 다물고 있는 것이 보였다. 그야 방패라는 직업명을 대고 싶지는 않겠지. 그는 라이한을 이해했다.

참고로 아리샤가 자신에게도 직업을 물어온다면 그는 그대로 혼자서 던전을 탈출해버릴 생각이었다. 그리고 방에 틀어박힐 것이다.

"돌개바람의 수습기사."

"뭐!?"

그러나 아리샤에게서 들려오는 그 말에는 그도 고개를 번쩍 들지 않을 수 없었다. 돌개바람의 수습기사라니, 도무지 5층을 클리어하는 수준에서 얻을 수 있는 직업명이라고는 생각되지 않는데!

"그냥 바람도 아니고 돌개바람이라고? 이건 수식이 두 번 들어갔다는 얘긴데."

"벨루아, 지금 도련님이 무슨 얘기하는지 알겠어?"

"바보 샤인, 기다려. 도련님께서 설명해주실 거야."

일행에게는 이전에도 한 번 설명한 적이 있지만, 직업을 수식하는 단어는 보다 복잡할수록 급수가 높다.

예를 들면 샤인은 집사라는 평범한 직업을 피라는 단어로 수식하는 직업을, 벨루아도 마찬가지로 시녀라는 평범한 직업을 마도라는 단어로 수식하는 직업을 얻었다.

그러니 둘 다 무척 좋은 직업을 얻었다고 할 수 있었는데…… 아리샤는 이보다도 대단한 직업을 얻은 것이다.

"이번에 아리샤가 얻은 직업은 기본적으로 다른 직업의 고위직에 해당하는 기사야. 일단 이것부터가 놀라워. 미리 말해두는데 실제로 기사 작위를 얻는다고 기사 직업을 얻을 수 있는 건 아니다. 이건 어디까지나 실제 능력이 혼합된 개념이니까."

그래서 셰어든의 기사들의 1차 목표는 어떻게든 기사라는 직업을 획득하는 것이 된다. 기사 작위를 받은 이들 중에 기사가 아닌 직업을 갖고 있는 이도 무척 많았다.

"하지만 수습기사인데?"

"수습이라는 단어는 네 성과만 좋으면 얼마 안 가서 떨어져 나가. 즉 수습기사가 된 시점에서 넌 이미 기사직을 확보한 거나 마찬가지라는 얘기거든."

"……그렇구나."

단순히 단어만 놓고 수준을 비교하는 것은 샤인이나 벨루아에게 미안한 일이지만, 수습기사와 집사, 시녀를 비교한다면 단연 수습기사 쪽이 압도적으로 훌륭한 직업이라고 볼 수 있었다.

'그냥 수습기사만 됐어도 충분한 수확인데 여기에 돌개바람이라는 단어가 들어갔지. 그냥 바람도 아니고 보다 특성이 강화된 돌개바람. 즉 샤인과 벨루아가 얻은 직업보다도 명백히 한 단계 이상 급이 높은 직업……!'

뭐? 에반과 라이한이 얻은 외도와 방패는? 이건 논외로 쳐야 한다. 논외라면 논외였다. 논외가 아니라고 하는 놈들은 전부 에반과 라이한이 죽여버릴 테니까 말이다.

"에반, 놀라워?"

"많이 놀라워."

"그럼 재밌어?"

"아니, 너무 놀라워서 그것까진 모르겠는데."

"흠…… 일단 그걸로 만족할게. 난 매우 재밌었으니까."

아리샤는 에반이 깜짝 놀라는 것을 보며 퍽이나 흡족했던
지 입가에 미미한 미소를 띠며 작게 고개를 끄덕였다.

"흐음……."

"기사…… 과연, 그것도 봉사의 업이니…… 으으음."

한편 그것을 보는 샤인과 벨루아는 상대적으로 재미가 없
어졌다. 아리샤에게 졌다는 생각을 지울 수가 없었던 것이다.

그리고 녀석들이 시무룩해하는 모습을 보며, 에반은 대체
이 녀석들이 무엇을 기준으로 승부를 벌이고 있는 것인지 알
방도가 없었다.

'그래도 진짜 놀랍긴 한데…… 덤으로 골치도 아파.'

돌개바람의 수습기사. 게임에서의 그녀 아리샤 폰 펠라티
를 수식하던 단어는 여러 가지가 있지만, 이번에 그녀가 얻은
직업과는 단 하나도 매치되는 것이 없었다.

그녀의 미래도, 육성 방향도 에반이 알던 것과는 180도 틀
어지게 된다는 얘기다. 실제로 그녀는 선풍의 레이퍼라는,
전생의 요마대전 썩은물인 여반민이 듣고도 고개를 갸웃할 무

기술을 익혔으니!

'어렴풋이 이렇게 되리라 예상하기는 했지만…… 내가 어린
시절부터 아리샤에게 관여한 것이 정말 그녀를 나은 방향으
로 이끌어줄 수 있을까. 그것이 나에게는 좋은 방향일까? 나
아가 세상에는? ……지금부터 이런 생각을 해봤자 아무 소용
없다는 건 이미 알고 있지만.'

그래도 게임과 뚜렷하게 틀어지는 변화가 나타나면 이렇게
초조해질 수밖엔 없는 것이다. 지금은 그저 자신이 할 수 있
는 일에 매진하는 게 제일이라는 것을 알면서도.
에반은 그런 자신의 새가슴에 자조하듯 웃고는, 빤히 그를
바라보고 있는 파티원들을 돌아보았다.

"자, 그러면 이제 6층으로 내려가자. 본격적인 던전 탐험 시
작해야지!"

그래도 우선은 던전이다. 던전만은 답을 알고 있으리라.
굳게 고개를 끄덕이며 그렇게 말하는 에반에게, 샤인이 실
로 냉정하게 태클을 걸었다.

"그 전에 밥은 먹어야죠, 도련님."
"아……."

아무리 아리샤에 의한 던전 공략이 빨리 이루어졌다고는 해도 이미 던전에 들어와 여덟 시간이 지나 있었다. 에반은 얌전히 그들을 이끌고 쉼터로 향했다.

……여전히 밥을 짓는 것은 그의 몫이었다.

❋ ❋ ❋

"진정한 던전은 6층부터 시작된다는 말이 있지."

밥을 먹고 짧게 수면을 취하는 등 휴식을 마치고 던전의 계단을 내려와 일행을 돌아보며 에반이 꺼낸 말이었다. 그는 이미 배틀비드를 손에 쥐며 전투태세를 가다듬고 있었다.

"물론 11층부터가 진짜다, 아니, 오크가 등장하는 16층부터가 진짜다, 혹은 고위 몬스터로 분류되는 트롤이 일반 몬스터로 나타나는 31층부터가 진짜 무서운 던전의 시작이다 등등 바리에이션이 많기는 하지만."

"그거 그냥 지들이 도달한 곳이 제일 어렵다고 징징대는 거 아닙니까?"

"응, 뭐, 사실 그렇긴 한데 마냥 틀린 말도 아냐. 여기서 중요한 건 5층을 단위로 던전의 환경이나 몬스터, 함정 등등의 내용물이 크게 바뀐다는 거거든. 그래서 던전에 적응한다는 건 있을 수도 없는 일이고, 방심 또한 해선 안 된다는 거야."

특히 던전 6층부터는 랜덤하게 조우하는 고블린뿐만이 아니라, 던전에 서식하고 있는 변이 동물형 몬스터들까지 나타나기 때문에 더욱 힘들다.

놈들은 덩치가 일단 작아서 은밀하게 접근을 당하기도 쉽고, 독이나 마비를 비롯한 자잘한 상태이상을 걸어오는 놈들도 많아서 고블린들과의 인카운터가 겹치면 정말 지옥 난이도가 된다.

겉으로 보기에는 작고 더러울 뿐인 이 던전생물들을 무시하다가 전멸하는 파티의 숫자도 상당히 많았기에 주의는 몇 번을 해도 부족하지 않았다.

"사실상 너희가 여태껏 겪어온 던전과의 가장 큰 차이점이 여기에 있지. 특히 미궁쥐, 흡혈박쥐, 톱토끼. 이 세 놈들 얼굴을 앞으로 질리도록 보게 될 테니까, 지금부터 놈들의 기척을 파악하고 전투를 치르는 데에 익숙해지도록 해."

던전에서 살아남기 위해서는 단순히 무력만이 중요한 것이 아니다. 생존을 위해 다양한 능력을 숙달해야만 던전 탐험가라고 자랑스레 명함을 내밀 수 있는 것!

……그의 설득력 넘치는 설명을 찬찬히 듣고 나머지 일행이 어째선지 살짝 미묘한 표정을 짓고 있는 가운데, 샤인이 에반에게 용기 있게 물었다.

"그렇군요…… 그러면 도련님, 아까부터 획획 던져대고 있는 그건 뭡니까?"

"아, 주위에 기척이 느껴지는 잡몹들을 정리해두고 있어. 전부는 무리겠지만 일단 내가 파악한 놈들만이라도 잡아둬야지. 먼저 발견하기가 어렵다 뿐이지 체력이 많지는 않으니까 내 비드로도 죽일 수 있을 거야."

"음음, 그렇군요. '일단'이라 이거죠. 일단…… 그럼 저도 일단 도련님이 쓰러트린 놈들 시체 확인이나 하고 오겠습니다. 다녀와서 얘기 좀 하죠, 도련님."

샤인은 사방으로 배틀비드를 던져대며 말하는 에반을 보고 자연스럽게 고개를 끄덕이곤 시미터를 뽑아 쥐고 내달렸다. 에반이 비드를 던져 죽였을 몬스터들로부터 피를 뽑아내기 위해서였다.

"엇, 야! 안 죽은 놈이 있거나 내가 발견하지 못한 놈이 있을 수도…… 듣지도 않고 가버리네. 설마 저 녀석이 죽는 일은 없겠지만……."

이미 샤인은 저 멀리 나아가 에반의 비드 투척으로 죽은 몬스터들의 몸통에 푹푹 칼을 찔러 넣고 있었다.

투덜거릴 땐 언제고 완전히 시미터 키우기에 맛이 들린 것일까, 하고 에반이 고개를 갸웃거리고 있는데, 그 옆에서 아리샤가 '그러고 보니' 하며 말을 꺼냈다.

"궁금했던 건데, 저 시미터는?"

"1층에서 얻은 아티팩트야. 지금은 별 볼 일 없어도 피를 먹고 성장하는 물건이라 나중엔 제법 볼 만할 거야. 그리고 그렇게 되면 아마 샤인에게 줄 무기의 재료로 써먹을 수 있겠지."

"흠, 그렇구나……."

아리샤는 고개를 끄덕이면서 여전히 속내를 알 수 없는 표정으로 에반을 빤히 바라보았다. 그러나 충격적이게도 에반은 그녀의 무표정 속에서 어느 정도 표정을 읽어낼 수 있었다!

이건 분명 나한테는 뭐 없냐는 뜻이다! 에반 주위에는 다 그런 녀석들밖에 없어서 쉽게 알아챌 수 있었다!

"……그런 눈으로 보지 마. 6층부터는 아마 우리가 달성할 수 있는 최초 업적도 많이 남아있을 테니까, 언젠가는 너를 위한 물건도 나오겠지."

"응, 기대하고 있을게."

역시 이 녀석을 상대로는 방심할 수가 없다니까.

에반이 몸을 부르르 떨고 있는데 어느덧 일대의 적으로부터 피를 말끔하게 회수해 온 샤인이 시미터와 함께 귀환했다.

실로 상큼한 미소도 또한 함께 짓고 있었다.

"도련님, 정말 가만히 그 자리에서 비드를 내던지는 것만으로 일대 몬스터들을 전멸시키셨습니다. 도련님의 뛰어난 감지능력에 저는 정말로 감탄했습니다."

　"그야 뭐, 내 연금술이랑 신체능력도 조금은 발전했으니까…… 그런데 진짜 놓친 게 하나도 없어?"

　"물론이죠. 미궁쥐, 흡혈박쥐, 톱토끼 그리고 고블린까지 골고루 다 잡으셨더군요. 그런 의미에서 도련님, 지금 한 가지 확실히 하고 넘어가죠."

　"응?"

　샤인은 몇몇 몬스터에게서 적출했다며 작은 마석까지 그에게 건네주고는 단호한 목소리로 말했다.

　"도련님은 도련님 본인이 생각하는 것보다 훨씬 감지능력이 뛰어나십니다. 덤으로 투척만으로 모든 몬스터를 한 방에 두세 마리씩 죽여버리는 공격력도 갖추고 계십니다."

　"그……으런가?"

　"네, 방금 확인되었지 않습니까. 막말로 도련님 한 분만 계시면 이 던전은 무리 없이 클리어할 수 있겠죠. ……그리고 그건 도련님이 아니라 우리한테 문제가 됩니다. 이대로 계속 진행한다면 말입니다."

　샤인은 단단히 작정이나 하고 있던 것처럼 그렇게 말을 쏟아냈다. 아닌 게 아니라 그는 이번에 던전에 들어오기 전부터 에반에게 반드시 이 말을 하고자 다짐하고 있었다. 저번 던전행에서 느낀 게 많았기 때문이다.

"우리가 뭔 경계를 하고 대처를 하려고 해도 도련님이 미리다 감지하시고 위험을 차단해버릴 텐데 그렇게 되면 우리 경험과 기술은 어떻게 쌓느냐 이 말입니다. ……아리샤 아가씨한테도 기회를 주셨는데, 이젠 우리에게도 도련님을 지킬 자격을 증명할 기회를 주셔야 하지 않겠습니까."

어라, 다 맞는 말이어서 반박을 할 수가 없잖아……!? 에반이 두 눈을 동그랗게 떴다. 샤인은 한숨을 내쉬며 말을 이었다.

"도련님이 완벽주의이신 건 잘 압니다. 그리고 도련님께서 나름 우리 파티의 역할을, 공헌도를 쌓을 기회를 배분하고 계신다는 것도 알고 있습니다만…… 그건 사실상 사육이나 다를 바가 없습니다. 저희도 험난한 던전 환경에 자력으로 맞설 힘을 길러야 하지 않겠습니까."
"난 그런 생각은 꿈에도 해본 적이 없는데……."

에반의 계획은 대체로 어느 때나 완벽하지만 그 자신의 지나치게 완벽한 능력을 고려하지 않는다는 부분에서 때때로 오류가 발생한다.

조금 전에도 그는 일단 자신이 걷어낼 수 있는 것들은 걷어 내고 시작하자는 생각에서 비드를 던졌을 뿐인데, 그 결과 주위 상황이 깨끗이 정리되고 말았다.

아마 이 일대로는 당분간 접근해오는 몬스터도 없을 것이다.

"도련님의 능력은 지금 우리 수준에 비해 너무 뛰어납니다. 이렇듯 앞으로도 모든 난관을 도련님이 사전에 해결해버리신다면, 조만간 저희가 공헌도를 걱정해야 하는 신세가 될 겁니다."

던전 공략의 불균형은 거기서부터 발생한다. 그리고 이대로 방치해두면 점점 심해질 것이다. 이전 던전 탐험부터 쭉, 샤인은 그렇게 생각하고 있었다.

그리고 그것을 해소할 방법은 단 하나, 바로 던전 공략에 있어 에반의 지분을 조금이라도 줄이는 것이다. 그러면 자연히 다른 이들이 활약할 기회가, 민낯의 던전과 마주할 기회가 늘어날 것이다.

"그러니 지금부터 도련님께서는 길잡이만 해주세요. …… 몬스터나 함정 탐지까지는 저희가 해보겠습니다. 조금 공략에 걸리는 시간이 늘어난다고 해도, 그렇게 하는 쪽이 저희 모두의 성장에 도움이 되리라고 생각합니다."

"하지만 그건……."

"물론 저희가 정말로 위험할 것 같으면 그땐 나서주셨으면 합니다. 하지만 그렇지 않은 상황이라면, 일단 저희 힘으로 대처해보고 싶습니다. 다들 그렇게 생각하고 있습니다."

"……그러면."

모두가 암묵적으로 샤인의 말에 동의하는 가운데 ─특히 에반의 존재 덕에 10시간도 안 되어 5층까지 공략하는 신기록을 세워버리고 만 아리샤는 더더욱 격하게 고개를 끄덕이고 있었다─ 에반이 조심스레 반문했다.

"그러면 정말로 내 공헌도가 부족해지지 않을까?"

"아, 글쎄, 안 부족해진다니까요!"

"부족하지 않습니다, 도련님. 도련님의 활약을 지금의 10분의 1로 줄여도 그럴 것입니다."

샤인의 말에 이어 벨루아의 냉정한 태클까지. 벨루아까지 그렇다고 한다면 이젠 어쩔 수가 없다. 절대로 납득할 수 없는 일이지만, 에반은 일단 납득한 체하기로 했다.

"내 레벨 안 오르면 다들 나랑 같이 던전 더 빡이 쳐야 하는 거다."

"네네, 언제까지고 어울려드릴 테니 그런 걱정은 접어두십쇼."

샤인이 호언장담했다. 에반은 입술을 삐죽이면서도 끝내 자신의 역할을 '길잡이'로 고정하자는 동료들의 제안을 받아들였다.

'시간 관련 업적은 포기하고 완전 정복 업적 쪽으로만 생각 해야겠네. ……진짜 내 공헌도가 부족해지지는 않겠지?'

에반 파티는 그렇게 새로이 파티 역할 분배를 마쳤다. 그러고서야 간신히 던전 탐험다운 탐험이 시작되었다.

"아리샤 아가씨, 함정 있습니다!"
"……큭!"
"흡!"

샤인은 셰어든 가문의 집사장으로부터 몸을 날래게 움직이는 영신, 보다 넓게, 멀리, 세밀하게 보는 천안을 배우고 있었다.
실은 이것이야말로 도적 계열 직업에게 있어 필수적인 능력인데, 에반이 오직 지도 작성과 길 안내만 맡게 되면서 그가 본격적으로 이 능력을 살리게 되었다.
파티원들에게 행동 지시를 내리는 것 또한 자연스레 그의 몫이 되었다.

"벨루아, 저 위에 장식물 부숴줘!"

"여우불!"

"형, 3시 방향에서 뭐 기어오는 소리 나는 것 같아요! 함성 한 번 부탁합니다!"

"알았다!"

일행은 여태까지의 신속하고 간단했던 던전 탐험이 거짓말이었던 것처럼 바빠졌다.

길 안내를 온전히 에반이 맡아 최대한 함정이 적고 쉽게 업적을 획득할 수 있는 곳으로만 그들을 이끌고 있었음에도 그들이 해야 할 일이 산더미 같았다.

"아, 또 함정!"

"빠져, 뒤로 빠져!"

"젠장, 이 타이밍에 정말 몬스터까지……!"

"라이한 형!"

던전은 어두웠고, 그 어둠 속에는 크고 작은 위험이 득실거리고 있었다.

던전에 존재하는 함정과 몬스터는 서로가 서로를 보조하는 형태였다. 하나에 걸리면, 다른 하나에도 이어서 걸리게 되어 있었다.

에반처럼 그것을 미리 알아내어 끊어내지 않는 한, 그 연쇄의 구렁텅이에 빠져들 수밖에 없는 구조였던 것이다.

"엘리트잖아!"

"6층부터는 자연발생 엘리트가 나타난다더니 사실이었군…… 합!"

더욱이 나타나는 몬스터의 종류도 숫자도 많아지면서 더더욱 놈들을 상대하는 것이 복잡해지기도 했다.

"형, 진짜 괜찮아요?"

"고작 이 정도로? 백 마리를 더 데려와도 끄떡없어, 전부 막을 수 있다!"

그렇기에 더더욱 라이한의 능력이 빛을 발했다.

라이한이 영역 내에 들어오기만 하면 거의 모든 몬스터와 함정의 칼날은 그에게로 향했고, 혹여 샤인이 미처 발견하지 못하는 함정이 있더라도 대개 그가 감당할 수 있었으니까.

"형, 이제 됐어요! 지금 다 죽입니다!"

"이쪽도 정리 끝."

"……수고하셨습니다."

반대로 말하자면, 라이한이 없었다면 파티는 진즉부터 삐걱대고 있었을지도 몰랐다.

그들 또한 그것을 알았기에 더욱이 그에게만 부담을 지우지 않기 위해 부단히 노력했다. 그런 과정 속에서 파티원 전원이 성장했다.

"다들 괜찮아? 정리됐으면 다음으로 가자."

"후우…… 알겠습니다, 도련님."

"……흡!"

"아리샤 아가씨, 그 이상 앞으로 나가시면 안 됩니다. 보조 맞춰요."

"칫. 알았어."

척후 및 기습은 샤인이, 방어는 라이한이, 후위에서의 보조는 벨루아가, 상황에 맞춰 이곳저곳에서 빠르게 움직이며 적들을 공격하는 역할은 아리샤가.

넷의 조합은 실로 완벽했다. 그 완벽한 조합으로도 눈코 뜰 새 없이 바쁜 공략이 이어졌다.

"함정 발견했습니다."

"샤인, 뒤로 나와. 내가 쏠게."

"라이한 형, 방패 들고 대기해주세요. 몬스터 나오고 있어요."

"나도 지금 여유 있어. 돌격할게!"

……그러나 사실, 이들의 능력이라면 던전 6층을 공략하는

정도로 이렇게 급박하게 움직일 필요는 없었다.

"이거…… 이 벽에 적힌 거 업적 같은데. 맞습니까, 도련님?"
"응, 맞아. 이거 회수하고 또 싸우러 가야 되니까 빨리 해치
우자. 퍼즐이니까 금방 맞출 수 있을 거야."
"그럼 내가 할게, 다른 사람들은 전투 준비!"

애초에 던전은 한 걸음 한 걸음 신중히 내디디며, 한 층을
공략하는 데 최소 며칠을 잡고 나아가는 곳이었다.
한 구역 클리어했다고 바로 다음 구역으로 나아가고, 업적
하나 달성하고 바로 다음 업적을 발견하고, 그런 말도 안 되
게 촘촘하고 효율적인 일정으로 던전을 공략하는 팀이 따로
있을 리가 없지 않은가.

"전투 끝났으면 잠시 휴식! 5분 후에 바로 이동한다!"
"알겠습니다, 도련님!"
"다들 모여, 신성마법을 한 번 걸 테니까. 지금 피로를 안
풀어두면 전투가 더 힘들어진다."

물론 원인은 전부 그들을 이끌고 있는 길잡이, 에반에게 있
었다.

'끙, 역시 애들한테만 맡겨놓으니까 페이스가 많이 느려지

기는 하네……. 그래도 점점 나아지고 있으니 다행인 건가. 이렇게 점점 익숙해지면 한 30층부터는 파티 효율이 최고점을 찍을 수 있을 것 같기도 하고?'

그렇다. 사실 에반은 전생에 게임을 즐기던 시절 최정예 파티를 결성해 최단시간, 최고효율로 던전을 공략하던 때를 기준으로 이 파티를 굴리고 있었다.

그는 누가 요마대전 독극물 아니랄까 봐 실제 던전 공략도 게임 감각으로 하고 있었던 것이다!

"후우, 후우……."

"괜찮아, 루아?"

"……괜찮습니다. 호흡을 조금 가다듬었을 뿐입니다. 전혀 문제없습니다."

단지 그것을 자신이 주도하던 때에는 일행에게까지 피로감이 쌓일 일이 없었지만, 지금은 그 부담까지 파티원들이 나누어지고 있으니 던전 공략이 쓸데없이 박진감 넘치는 것처럼 보이는 것!

……그리고 그런 독극물의 기준에 맞추어 어떻게든 따라오고 있는 파티원들이 정말로 대단한 인재들인 것이다!

"좋아. 조금만 더 힘내. 곧 6층을 완전 클리어할 테니까."

"큭, 역시 도련님이 주도적으로 나서셨을 때와 비교하면 느리군요…… 그래서 도합 몇 시간 정도입니까?"

"7시간 정도? 많이 느리긴 하지만 괜찮아. 너희 호흡도 점점 잘 맞고 있고, 아마 앞으로 더 빨라질 테니까."

칭찬도 욕도 아닌 에반의 말에 파티원들은 모두 진지한 표정으로 고개를 끄덕였다. 반드시 언젠가 에반에게 뒤지지 않는 수준의 훌륭한 던전 탐험가로 성장하겠다는 의지로 가득한 그런 표정!

……물론 이 7시간이라는 말을 외부인이 들으면 얼마나 놀랄지 그들은 전혀 알고 있지 못했다. 그들이 들어오기 전까지 던전 6층 클리어 최단기록은 27시간이었으니까. 그것도 물론 중요업적은 하나도 달성하지 않은 채로!

덤으로, 에반은 그렇게나 걱정했음에도 불구하고 던전 7층으로 내려가는 계단을 발견한 순간 무사히 던전레벨 7로 성장할 수 있었다. 가호까지 받았다.

《죽지 않는 엑스트라》 6권에서 계속…….

토이카_ 쏘지 마라 아군이다!

폭주한 마법으로 인해 언데드의 대지로 화한 제국.
제국을 정화하고 새로운 희망을 심기 위해
신은 무수한 세계로부터 용사들을 소환하였다.

평범한 지구인이었던 이신우 역시 그곳에 소환되었다.
"언데드로."

〈환생은 괜히 해가지고〉, 〈나 홀로 로그인〉의 작가 **토이카!**
범접할 수 없는 독창적인 상상력의 작가가 선보이는 새로운 판타지 월드!